D1484453

113220

DEL INFINITO AL BIFE

Feune de Colombi, Esteban
Del infinito al bife: una biografía coral de Federico Manuel Peralta Ramos
1a ed. - Ciudad Autónoma de Buenos Aires: Caja Negra, 2019
224 p.; 20 x 14 cm. - (Numancia)

ISBN 978-987-1622-78-8
1. Biografía. 2. Anécdotas. 3. Arte. I. Título.
CDD 920.71

Caja Negra Editora
Buenos Aires / Argentina
info@cajanegraeditora.com.ar
www.cajanegraeditora.com.ar

Dirección editorial: Diego Esteras / Ezequiel A. Fanego
Producción: Malena Rey
Diseño de colección: Juan Marcos Ventura
Diseño de tapa: Consuelo Parga
Maquetación: Tomás Fadel
Corrección: Sofía Stel

ESTEBAN
FEUNE DE
COLOMBI

DEL INFINITO AL BIFE

Una biografía coral de
FEDERICO
MANUEL
PERALTA
RAMOS

CAJA NEGRA 01
NUMANCIA

Grandes deseos de conversar me estás provocando.
Macedonio Fernández

*Me parece muy feliz el proyecto
de que todos aquellos que lo trataron hablen sobre él.*
Jorge Luis Borges

Lo único que hice fue pastorear los lobos de la memoria de esta gente.
Fernando Noy

*La creación es infinita, yo soy infinito. No voy a morir. Me voy a transformar.
Aire, un pedazo de aire seré. Me tendrán todos al alcance de la mano:
en un bar porteño, en la calle, en una plaza cualquiera. Para cuando llegue
ese día de la transformación tengo una frase: "Todo esto va por la mitad".*
Federico Manuel Peralta Ramos

PRÓLOGO

ALIMENTO ESPACIAL
POR ESTEBAN FEUNE DE COLOMBI

Habitantes de este planeta solar, pensaba de manera "peraltiana" que este texto no debería ser un prólogo ni un epílogo, sino algo entremedio: un entremediólogo. Un entremediólogo para ubicarme a mitad de camino entre la solemnidad del inicio y el caballo cansado del final, entre el entusiasmo rutinario de todo lo que empieza y la estúpida ambición de concluir que tiene todo lo que termina. La idea es digna –si se permite que las ideas sean de alguien y, además de eso, si se permite que sean dignas– del artista Federico Manuel Peralta Ramos, a.k.a. Federico Manuel (como en las telenovelas venezolanas), FMPR, Gordo, Fede o, en boca de su niñera y de Borges, El Niño Federiquito, apodos para ese instrumentador del absurdo que Jaime Rojas-Bermúdez, pope del psicodrama en la Argentina, contuvo y blindó con un diagnóstico poético: "Psicodiferente".

La idea es digna de él porque estamos frente a un pedazo de atmósfera que se volvió, quizá por ósmosis, un mito. Y al mito –en este caso de estirpe: por rama paterna, un antepasado que fundó Mar del Plata;

por rama materna, un antepasado que peleó junto a San Martín– le viene bien cada tanto que lo bajemos a tierra, lo arropemos y, sobre todo, le recordemos que aún tiene vigencia.

Muy distinto de la permanencia y de la posteridad, asocio el concepto de vigencia más que nada con la validez, con el hecho de estar en vigor, presente, incluso con cierta capacidad anticipatoria y mística. En clave gastronómica diría que FMPR –un aristócrata del pensamiento que pateó el tablero a tiempo y se volvió un visionario cósmico ante el estupor de su familia patricia, para quien era un delirante– es hoy comida para astronautas, alimento espacial.

A Federico –un nombre que en un año tipié miles de veces, muchas a toda velocidad confundiéndolo con "feérico": ahí les dejo esa inquietud– le encantaba preguntarles a algunos amigos, en circunstancias insólitas, si aún tenía vigencia. Por eso creo que estaría contento si supiera que a casi treinta años de su muerte se habla de él y que la fuerza mesiánica del frasco brilla en la góndola, sin fecha de vencimiento, revindicada por artistas jóvenes que admiran y reinterpretan su obra porque se han vuelto, de algún modo, sus espectadores ideales.

Nació rubio y de ojos celestes, jugó al polo, domó caballos, actuó en cine y en TV, trabajó en radio y en gráfica, fue casi arquitecto, pintó, hizo escultura, performance, happening y se exhibió a sí mismo como obra de arte, prescindió de influencias, fundó una religión, se inventó un monumento, refundó una ciudad (¡Mal de Plata!), organizó la última cena, vendió un buzón, inauguró una muestra en una sala vacía, quiso exhibir un toro, expuso duchampianamente cuadros y objetos ajenos, compuso canciones, cantó, grabó un disco, cambió sin querer las bases de la beca Guggenheim, cobró sueldo "de hijo", regaló dinero, murió joven y escribió pero sin llegar a publicar un libro, un libro "barajable, con hojas sueltas" que se titularía *Del infinito al bife* y en el que consignaría aforismos y platos favoritos.

En apenas cuatro años, entre 1965 y 1969, llevó a cabo *Nosotros afuera*, una escultura gigante de un huevo que facilitó innúmeras elucubraciones y que, reconstruido, hoy yace ridículamente a la intemperie junto al edificio Kavanagh; compró un toro en La Rural para exponerlo en el Di Tella al lado de una montaña de dólares, pero no pudo pagarlo y la operación se frustró; ganó la beca Guggenheim como pintor y la cumplió en su ciudad realizando, con el dinero, una serie de acciones –desde la grabación de un disco hasta la adquisición de tres cuadros pasando por invertir en una financiera– cuya culminación fue un banquete para amigos en el Hotel Alvear que desencadenó la furia de la institución y un epistolario desopilante; escribió los veintitrés mandamientos gánicos, puntal de la religión que consiste en hacer lo que uno tiene ganas, y los distribuyó en la puerta del Florida Garden; por último llegó, de la mano de Tato Bores, al público masivo trabajando como *showman* en la televisión y eso quizá opacó la relevancia y la modernidad de sus propuestas.

Federico Manuel Peralta Ramos es hoy uno de los artistas conceptuales más importantes de América Latina, un "todo corazón" que dejó grabada su sencilla, inolvidable y original huella prácticamente sin salir de Buenos Aires (no por nada "a mí me gusta acá" es uno de sus mantras), en pocas cuadras a la redonda, siempre callejeando. Vestido de traje, antifaz y corbata o de bombachas, alpargatas y boina, regalaba a diestra y siniestra sus poemas inéditos –orales o manuscritos en soportes evanescentes: papeles sueltos, servilletas, telas berretas– y ejecutaba su refinado arte de la palabra como un brujo, lejos de instituciones artísticas y cerca de bares o cabarets.

No quise escribir una biografía. No habría sabido cómo hacerlo. Creo que sorteé la tentación. Sin embargo, me metí en la vida y en la obra –dos caras de la misma moneda– de FMPR al principio con curiosidad de entomólogo psicótico y después con neurosis de amante despechado. Por momentos sentía que navegaba en aguas vírgenes y por momentos, que el Gordo me acompañaba entre tinieblas diciéndome acá sí, acá no, con ella no hables, con él ni lo dudes, eso es mentira pero da igual, aquello no lo recuerdo, hacé lo que tengas ganas.

Había quienes referían la mítica cena del Alvear y la ensalzaban volviéndola leyenda: que había sido en una suite del Plaza, que la lista de invitados era interminable, que se patinó toda la beca –mencionaban cifras absurdas– en esa comida, que asistió Marta Minujín, que convocó a mendigos. Lo mismo pasaba con el toro: que lo pintó de verde, que lo carneó, que era una vaca, que lo paseó por el Obelisco, que lo pagó con la beca. Ese surtido de recuerdos a veces frívolos, a veces intelectuales, pintan de cuerpo entero a Federico y, por lo tanto, a su obra, que casi no cuenta con registros fotográficos o audiovisuales.

Me lo explicó uno de los cientos de entrevistados: "Hay quienes se presumen amigos íntimos y ni siquiera figuraban en su día a día. Por otro lado, que hablen de él habiéndolo conocido bien o mal, poco o mucho no tiene importancia. Esa es la esencia de Federico, su figura permite que no haya principio ni fin. Del infinito al bife es precisamente eso, ¿no?".

Una tarde salí de la oficina de su hermano Diego y me pareció ver a un sosias de Fede deambulando por la avenida Santa Fe. Era espeluznantemente idéntico. Vestía un piloto beige y se mostraba esquivo y sombrío, quizá como un perseguidor de pronto perseguido. Esa noche soñé que FMPR estaba parado en una mesa. Vestía un impermeable y revolvía una paila repleta de dulce de leche con los brazos, que eran cucharas de madera. Me miraba de reojo y me decía: "Dale, escribí sin afinar, che, así nomás tá bien". De repente abría los brazos en señal de agradecimiento y debajo de la mesa lo aplaudían las almas que contacté.

De a ratos prendía el mito y de a ratos lo apagaba. Jamás me propuse llegar a la verdad, a la Verdad con mayúsculas. La verdad es un Verso (ja), más aún si se trata de un artista con muchísima producción en la basura o meramente conceptual y un despistante anecdotario en boca de personas que lo trataron en galerías o cabarets desaparecidos, en taxis, en veredas, en cafés que milagrosamente siguen en pie –La Rambla, Florida Garden, La Biela–. Dependiendo de los casos, con pasmosa asiduidad o una sola vez, tratándolo de chamán o de chiflado, de pionero o de piantado.

Elegí escuchar la maroma de voces sin prejuicios. Llegar a ellas no fue fácil. Tuve que insistir y hurgar. A pesar de los olvidos, de las testarudeces, de los caprichos de la memoria, de los desplantes, entendí que lo mejor fue crearles un contexto propicio y ponerlas a dialogar como si nunca lo hubieran hecho. De esa manera una anécdota tomaba la punta del ovillo y otra tiraba de ahí para que una tercera completara el tapiz embrollando la figura que se había formado, deformándola. Pasado cierto tiempo, decidí conversar con artistas, críticos o coleccionistas que no lo conocieron, pero que son fans de Peralta Ramos y tienen, en algunos casos, una mirada crítica respecto de su obra en una época en que se la lee mejor. "Es el primer tuitero de la Argentina", me llegaron a decir.

Me comuniqué por celular, por teléfono fijo, por WhatsApp, por Facebook, por Instagram, por Skype, por mensaje de texto, por mail. Y también en vivo, claro. Visité casas, oficinas, un auto, plazas, confiterías. Leí las columnas que publicó en *La Semana*, las entrevistas que le hicieron, los artículos que escribieron sobre él y llegué a la conclusión de que actualmente, en Federico, todo está por descubrirse.

Llegado el momento puse un freno: edité los más de ciento sesenta testimonios, los imprimí y los diseminé en el piso. "Engordé" el libro como el Gordo engordaba su vida, a fuerza de intuición y de humor, de hambre y ganas, de aburrimiento y diversión, de profundidad y superficialidad, de conocimiento e ignorancia y soy consciente –y defiendo el hecho– de que esta conversación plagada de digresiones podría ser, y es, mil conversaciones a la vez, o mil menos una y la que queda es esta.

Federico, estás más vigente que nunca. Andrés Calamaro convirtió en canción tu frase "para no ser un recuerdo hay que ser un re-loco", el ministro de Hacienda te citó en la tapa del diario, la galería Del Infinito llevó veinte obras tuyas a la feria ARCOmadrid y las reventó en un día, los jóvenes te buscan en YouTube, tus boliches de cabecera te tienen muy presente, le ganaste de mano a la performer Marina Abramović, se agotaron los catálogos de tu retrospectiva en el MAMBA (Museo de Arte Moderno de Buenos Aires), algunos de tus familiares están montando una fundación en tu honor, Mercado Libre vende memorabilia tuya y si tu doble apellido resuena en el mundo es gracias a tu doble nombre.

Acá está, pues, este libro-homenaje que, como hubieras querido, "era una obra para tratar de unir a toda la gente, porque se sabe que hay gente infinito y gente bife, el espíritu y la materia... en fin, un libro para recuperar el equilibrio perdido".

Reproducción de una página del libro de visitas que Diego Peralta Ramos le compró a un amigo de su hermano y en el que consignaba, a mano alzada y con un marcador grueso, todo tipo de frases.

Del infinito al life

OSVALDO CENTOIRA *director de la galería que lleva su nombre*
Estaba nublado y lloviznaba. Lo velaron temprano en una de las habitaciones del departamento de la avenida Alvear del que no se había mudado cuando murieron sus padres. Lo vistieron impecable. Impresionaba verlo así, de traje y corbata, porque parecía dormido. Cada vez que voy a un velorio –si habré ido a velorios con la edad que tengo: 92 años– me quedo hasta que cierran el cajón. Es como una despedida, soy la última persona que ve al muerto.

ROSARIO PERALTA RAMOS *hermana*
Solo puedo decir que lo extraño mucho. Era mi alimento espiritual diario.

OSVALDO CENTOIRA
La gente se fue yendo al Cementerio de la Recoleta para esperar la llegada del sepelio y yo me quedé solo en la habitación con los empleados de la funeraria Lázaro Costa. Cuando trajeron el cajón, el cuerpo

no cabía; intentaron de nuevo y nada: el Gordo se había hinchado o tomaron mal la medida. La cuestión es que no había forma de meterlo adentro y se armó un despelote bárbaro. Hasta el último momento Federico nos regaló una instancia surrealista, hasta el último momento se rio de la sociedad.

GUILLERMO FERNANDO AQUINO *fotógrafo*
Hay un cuento de Cortázar que se llama "Conducta en los velorios": habla de los parientes del muerto que lloran más, de los que llevan el ataúd, de los que se apoderan de su memoria... Equivale un poco a lo que sería Julio Jorge Nelson respecto de Gardel, del que se había adueñado y al que por eso apodaron La Viuda. Con Federico pasó algo similar: hay quienes se presumen amigos íntimos y ni siquiera figuraban en su día a día. Por otro lado, que hablen de él habiéndolo conocido bien o mal, poco o mucho no tiene importancia. Esa es la esencia de Federico, su figura permite que no haya principio ni fin. Del infinito al bife es precisamente eso, ¿no?

MIGUEL CANALE *agente de bolsa*
Su última obra: trajeron el cajón para enterrarlo y el cuerpo no entraba.

FERNANDO DEMARÍA *poeta y filósofo*
Me gusta evocar su persona como obra de arte, pues donde se hacía presente traía consigo una atmósfera que escapaba de lo cotidiano. Era una presencia distinta, como sucede cuando visualizamos un buen cuadro en una pared. Él vivía la realidad como artista, ironizando sobre sus previsibles secuencias e introduciendo la nota que nos sustraía a ella. Cierta vez comunicó en una entrevista la exacta y módica cuota mensual que le asignaba su padre no en son de queja, sino para presentar un hecho que, dada la fortuna de su familia, no dejaba de divertir.

MARTA MINUJÍN *artista*
Los padres –a los que él adoraba– le daban algo así como cien dólares

por mes. A su casa caía a almorzar con amigos, pero también con vagos, andrajosos y linyeras. Eran comidas con mayordomos y todo. Lo hacía a propósito.

PABLO BIRGER *empresario*
En una oportunidad llegó al mediodía a la casa de Leopoldo Presas, quien le preguntó de dónde venía: "Del estudio de mi viejo… lo fui a manguear y no me dio ni un mango", contestó. Estoy hablando de una familia millonaria, ¿eh?

ZELMIRA PERALTA RAMOS *artista y sobrina*
Yo almorzaba mucho en lo de mis abuelos paternos, donde pasaba de todo. Cuando Fede hacía régimen le traían una bandeja enorme con toneladas de coliflor: era genial. Aparecía con amigos muy divertidos. Las conversaciones entre mis abuelos y él eran para grabar.

SERGIO AISENSTEIN *escritor y fundador de Café Einstein y Nave Jungla*
Para sus familiares era un loquito y les causaba vergüenza por ser diferente. Lo cagaban con guita, pero a él no le importaba. Se vengó de ellos cuando compró el toro con el cheque de la beca Guggenheim. Lo sacó de La Rural, llamó un flete, lo paseó alrededor del Obelisco y se lo regaló al peón que lo cuidaba. No sé si habrá sido su imaginación, pero él me lo contó así, y también me contó que cambió su herencia por techo y un plato de sopa.

GUILLERMO FERNANDO AQUINO
Para muchos parientes cercanos estar con él no era la mejor carta de presentación.

CARLOS ÁLVAREZ INSÚA *escritor, periodista y fotógrafo*
Lo del toro paseando por el Obelisco es un invento.

MARIO SALCEDO *diseñador y fundador de Barbudos y Dadá*
Hay mucho invento alrededor de él.

ANA MUJICA LAINEZ *presidenta de la Fundación Manuel Mujica Lainez*
Tal vez con sus extravagancias se proponía llamar la atención y molestar a su padre. En ninguna circunstancia quería pasar desapercibido, como cuando en La Rural compró un toro, lo pintó de verde y lo paseó por la ciudad.

ARIEL BENZACAR *ingeniero industrial*
Con el dinero de la beca Guggenheim compró una vaca campeona y la carneó, pero yo no estuve en ese asado, ¿eh? Para la familia no existía, lo tenían escondido.

MARINA BLAQUIER DE ZUBERBÜHLER *licenciada en Historia*
Estuve presente en el famoso remate de La Rural en el que compró el toro charolais. Yo estaba casada con Raúl Peralta Ramos y Tala Álzaga Unzué, su madre, tenía Cabañas Charolais con el tío de Federico, Marcos González Balcarce. El rematador era Arturito Bullrich y recuerdo perfecto cómo Marcos empezó a palidecer cuando vio la mano de su sobrino levantada, pujando, y de pronto "uno, dos, tres, ¡vendido!", y para ese momento ya estaba blanco como una hoja. A todos nos parecía una locura porque sabíamos que Federico no tenía fondos para pagar el toro y que su padre no iba a responder por él.

GUILLERMO CABANELLAS *abogado*
Él me contó la historia de la vaca. Me dijo que la compró con el dinero de la beca y que se mandó un asado.

ASTRID DE RIDDER *artista*
Cuando pasó lo del toro –su idea era exponerlo junto a un pura sangre, un Fórmula 3 y una montaña de dólares, y organizar una cinchada

entre el público–, el padre lo puso a trabajar de un montón de cosas como castigo. Creo que llegó a ser camionero.

MARTA MINUJÍN
Fue una premonición del arte conceptual porque al poco tiempo un artista italiano expuso un toro en la Bienal de Venecia.

FERNANDO DEMARÍA
Sin dedicarse a una actividad agropecuaria y encontrándose en un remate de hacienda en La Rural ofertó y compró un toro que le gustó y cuya factura tuvo que abonar su padre. Cuando le preguntaron por qué lo había hecho, comentó: "¿No era lindo el toro?".

HORACIO ZABALA *artista*
A principios de los 70 fui miembro del Grupo de los Trece, cuya sede se encontraba en el CAyC [Centro de Arte y Comunicación]. Allí inauguré mi exposición *Anteproyectos*, donde unos meses después él presentó su "actuación-exposición" *Federico Manuel Peralta Ramos se exhibe*. Ya había tenido la idea de exhibir seres vivos: un toro premiado por la Sociedad Rural como representante de una típica obra de arte argentina, que finalmente no logró realizar. Lo que sí llevó a la llamada "realidad real", también con seres vivos, fue su versión de *La última cena* de Leonardo da Vinci: un banquete para amigos y colegas financiado en parte con la beca Guggenheim.

SEBASTIÁN PERALTA RAMOS *ingeniero agrónomo y hermano*
El tipo hacía unos planteos frente a los que decías "está chiflado". Y no, no estaba nada chiflado. Todo el mundo habla del toro. El día que lo rematon yo fui de casualidad a La Rural con Adolfo Zuberbühler y Andrea Vianini. Gradas a ambos lados y tarima en el medio. Desde una de las gradas podía ver a mamá, a Federico y a nuestra hermana Rosario. De pronto él levantó la mano. Me sorprendí porque se trataba de un toro reservado gran campeón charolais de cabaña y nosotros no teníamos cabaña. Cuando se lo adjudicaron, mamá quedó petrificada

al lado de Federico. El resto es historia conocida: Diego arregló la cosa y devolvió el toro. Después de ese episodio se produjo un quiebre… Fede tenía ciertos llamados de atención en su personalidad y en una familia tan esquemática como la nuestra, eso era muy difícil.

ZELMIRA VON DER HEYDE DE PERALTA RAMOS *ama de casa y cuñada*
Por ahí te metía en líos, aunque no lo hacía con intención. Él mismo decía que no estaba bien. Con lo del toro, por ejemplo, no sé qué pasó, pero estuvo internado. Quizá no se dio cuenta de la magnitud de lo que había hecho y eso lo descolocó. De pronto se metía en cosas que había que desarmar.

SEBASTIÁN PERALTA RAMOS
Es peligroso ser un adelantado en la vida; primero, porque te pueden encerrar por loco, y segundo porque, aplicado al mundo de los negocios, te podés re fundir. En la Bienal de Venecia, unos años después un tipo expuso un toro.

MARTA MINUJÍN
Cumplía años el 29 de enero y yo, el 30, así que festejábamos juntos en un restaurante de la calle Reconquista. Era mi mejor amigo del mundo del arte ya que nos unía una locura similar. Si yo tomaba ácido lisérgico, él lo llevaba encima sin tomarlo. Estaba medicado con Haloperidol porque tenía como una esquizofrenia, pero sin ser nada loco; para mí, era lo más normal del mundo.

LAURA BUCCELLATO *crítica de arte y curadora, ex directora del MAMBA*
Federico y Marta tenían una complicidad de almas gemelas, al punto de que los creían novios o amantes.

PEPE CÁCERES *artista*
Vivía medicado, pero hablaba poco de eso.

PEDRO ROTH *fotógrafo y artista*
Su padre quiso festejarle el cumpleaños de 50 en la estancia familiar, pero Federico le dio a entender que era su festejo, no el de él. Entonces se fugó de su casa y se instaló en la mía, donde hicimos la fiesta.

MARIO SALCEDO
El Gordo estaba turulato, sufría ataques de esquizofrenia. Llegué a darle sus pastillas de Haloperidol a las tres de la tarde en Barbudos, el bar que tuve en la Galería del Este entre 1968 y 1993.

PEDRO ROTH
El tema es que se olvidó el Haloperidol y me decía "¡dame órdenes!" porque hacía cualquier cosa... meaba afuera de la tabla, qué sé yo. Al cumpleaños vinieron Febrero (el mozo del Florida Garden al que llamaban así porque no tenía ningún día fresco), el diariero Elías y Facundo Cabral, entre otros. Federico se puso a cantar "A mi manera" y se olvidó de soplar las velas, que se derritieron encima de la torta.

SEBASTIÁN PERALTA RAMOS
Si nosotros sintonizábamos 5.000, él sintonizaba 50.000. En un momento se sintió muy bien y dejó de tomar una de las dos pastillas de Haloperidol. Entonces apareció con esos ojos celestes enormes abiertos y el médico le dijo que volviera a la dosis habitual porque iba a salir volando.

EDGARDO GIMÉNEZ *artista*
A raíz de que Federico quería exponer un toro campeón en el Di Tella junto a una montaña de dinero y un auto de Fórmula 3, los padres fueron a ver a Jorge Romero Brest para pedirle que no lo apoyara porque les parecía una locura. Le preguntaron: "¿Qué nos aconseja que hagamos?"; Jorge respondió: "Les aconsejo que lo dejen de jorobar".

DIEGO PERALTA RAMOS *ingeniero industrial y hermano*
El famoso toro era charolais, una raza lechera francesa que no tenía

nada que ver con la cría que hacía el viejo en el campo. De haber sido Hereford o Aberdeen Angus lo convencíamos, lo comprábamos y hacíamos una vaca. Si bien no estuve en el remate, hablé con Arturito Bullrich y le dije: "Te pido disculpas por Federico, es un tipo muy especial, pero no vamos a comprar el toro". Le dejé plata para que alimentaran al animal con fardos hasta que lo fueran a buscar.

DELIA TEDÍN *arquitecta y decoradora*
Mi padre, Horacio, lo retaba y lo protegía de locuras como la del toro. Era muy acompañador.

DIEGO PERALTA RAMOS
El toro estaba solo en un galpón de La Rural y pertenecía a Grandío (de la firma Grandío y López, dueña de los mejores garajes de Buenos Aires). Tiempo después el propio Grandío dijo que si Federico le hubiera pedido permiso para exponerlo, él se lo habría prestado.

PEDRO ROTH
Empezó a tomar Haloperidol después del episodio del toro. Quique Barilari y Federico González Frías lo fueron a visitar al manicomio privado: llegaron a la puerta y se dieron media vuelta porque, si entraban, no los dejaban salir. ¡Estaban más locos que él!

DIEGO PERALTA RAMOS
Que lo internaron en una clínica psiquiátrica es una mentira. Federico se refugiaba en el Círculo de Armas, en la avenida Corrientes. Una vez se quedó a vivir ahí. Era socio. Estaba desencajado con el quilombo del toro y había chupado una barbaridad, al punto de que lo encontré vestido de gaucho caminando por Santa Fe. Horacio Tedín –Horacio viejo, que lo quería muchísimo– le aconsejó que se tomara un descanso, que se serenara, y lo llevó a internarse por quince días. No recuerdo dónde fue.

ZELMIRA VON DER HEYDE DE PERALTA RAMOS

Las cosas que nos ha hecho… Una vez se internó en el Círculo de Armas. Llamó a casa y atendí yo: "Decile a Diego que venga a revisarme porque estoy enfermo". Diego, que sabe mucho de medicina y le encanta, agarró un estetoscopio, puso cara de médico, fue a verlo, lo auscultó y le compró unos remedios. Al día siguiente volvió a llamar: "Que venga Diego porque no me estoy mejorando". Entonces me harté y le mandé un médico del CEMIC. Cuando el tipo llegó, no entendía nada. Supuso que estaba medicado porque vio remedios arriba de la mesa de luz. "Me atendió mi hermano Diego", dijo. El tipo preguntó si era médico y él contestó que no, que era ingeniero. A Diego le tenía una fe ciega. Fede se le murió en las manos. Ese día también lo había ido a revisar porque andaba mal de la presión. En vez de mandar a un médico para que le hiciera un electrocardiograma a domicilio, le dijeron que lo lleve al sanatorio. Se puso de pie y se murió. Diego estaba con Fina, una de sus hermanas.

DIEGO PERALTA RAMOS

Le agarró un ataque y decidimos trasladarlo rápidamente al CEMIC. En el ascensor se agarraba de mis hombros y me preguntaba adónde lo llevábamos. Le expliqué que íbamos al CEMIC y me dijo que estaba loco, que él prefería el Little Company of Mary porque en ese sanatorio habían internado a la Coca Sarli. Cuando llegamos a la vereda, Federico ya había muerto. Esas fueron sus últimas palabras.

PEDRO ROTH

Está lleno de mitos alrededor de Federico.

JUAN LEPES *escenógrafo y productor de espectáculos*

Hay mucha sanata alrededor de él. En un punto son todas visiones que forman parte de la misma visión, así que todo lo que te cuenten va a estar bien.

SEBASTIÁN PERALTA RAMOS
Ojo: hay que pasar la zaranda. Resulta que desde que murió aparecieron un millón de amigos, como la canción de Roberto Carlos. Es propio de nuestra sociedad eso de repetir algo siete veces hasta que se instala. El famoso teléfono descompuesto. Me parece peligrosísimo. Por eso yo, Sebastián, al pan le digo "pan" y al vino le digo "vino".

ALICIA BARRIOS *periodista y conductora*
Tenía un millón de amigos. De verdad lo digo.

MARTA MINUJÍN
La familia no lo aguantaba y por eso dormía en el cuarto de las mucamas. Cuando pasó lo del toro él me contó que en una clínica privada le daban electroshocks porque pensaban que era loco. A partir de ahí empezó a analizarse con Rojas-Bermúdez.

SEBASTIÁN PERALTA RAMOS
No tengo certeza respecto de los electroshocks. Soy el menor y al menor, en las familias, siempre le ocultan cosas; sin embargo, a mí no me gusta ocultarlas porque terminan saliendo a la luz. Sí puedo afirmar que después del tratamiento en la clínica a él se le hizo como un blanco y se olvidaba de muchas cosas.

JUAN LEPES
¿Un inconsciente loco? No se lo puede definir. Con él hay una mística porque se cuentan las anécdotas de diez maneras diferentes. Como buen pedazo de atmósfera, Federico es un mito.

CRISTINA PADILLA DE PERALTA RAMOS *fotógrafa y cuñada*
Veníamos de escuchar tango en un boliche con mi marido, Sebastián, y con Federico. Salíamos mucho los tres. La cuestión es que íbamos por Las Heras y desde Ayacucho un borracho se mandó contramano en un Fairlane y nos llevó por delante. Sebas fue a la comisaría, mientras que

Federico y yo, que sangraba bastante por un corte, fuimos al Sanatorio Anchorena. Apenas entramos, él, que era muy aprensivo, se acostó en una camilla vestido con su impecable traje azul y dijo: "Me llamo Federico Manuel Peralta Ramos y quiero que me revisen". Por supuesto, no tenía nada: ¡la que sangraba y necesitaba atención era yo!

SERGIO AISENSTEIN
No manejaba dinero: era una cosa rarísima. Lo sentía así porque no necesitaba nada. Nunca te aparecía con un bajón, siempre estaba dispuesto a pasarla bien. Cuando venía al Café Einstein yo le pagaba el taxi de ida y el taxi de vuelta. Según él, la familia lo odiaba, aunque tenía adoración por los padres. Tal es así, que la quedó unos meses después de que murieron.

ALICIA BARRIOS
Cuidaba mucho a sus padres. Se inmolaba por ellos. Lo que pasó con su muerte, luego de que ambos fallecieran, se llama "lealtad de duelo".

ASTRID DE RIDDER
Días después de la muerte de su madre fui a verlo al departamento de la avenida Alvear. Vivía acompañado por la histórica empleada de la familia. Estaba pálido y parecía dejado. A cada rato me decía: "Estoy haciendo un duelo". Pobre. Abrió un enorme ropero y me mostró cartas y dibujos de Adela, su madre. Llamé a sus hermanos y les conté lo que me había pasado, pero me dijeron que ahí estaba cuidado. Al poco tiempo murió.

ZELMIRA VON DER HEYDE DE PERALTA RAMOS
Lo golpeó la muerte de sus padres. Se quedó viviendo en la casa familiar con Malena, una *fräulein* que crió a los seis hermanos. Era como una madre para ellos, pero, por más que fuéramos a acompañarlo, ya no era lo mismo. Estaba rodeado de obras de arte y no se quiso cambiar de cuarto.

ESTEBAN ZORRAQUÍN *economista y sobrino*
Mis abuelos tenían una *nanny* alemana: era un personaje divino al que Federico le hacía chistes. Recuerdo que le decía "usted es nazi" y ella se enojaba.

CARLOS ÁLVAREZ INSÚA
Si me hubieran preguntado si él superaría la muerte sus padres, habría dicho que no.

LAURA BUCCELLATO
Para muchos de nosotros su muerte fue muy sorpresiva.

SERGIO AISENSTEIN
No sé cómo definirlo: un ser humano especial con una mirada muy diferente. Un nene.

ZELMIRA VON DER HEYDE DE PERALTA RAMOS
Decía que era el "emergente depositario" como queriendo explicar que venía a rescatar a la familia. Tenía esas teorías. Yo era muy chica para entenderlo. Tendría 22 o 23 años y a esa edad me reía, pero no iba a lo profundo.

GUILLERMO CABANELLAS
Un día me dijo: "Estoy contento porque viene la época del segundo ascendente; eso quiere decir que, a partir de ahora, los segundones, los hijos marginados, empiezan su ascenso, su tiempo dominante". Eso habla de su tortura interior. En un punto, tenía necesidad de un "éxito normal".

ASTRID DE RIDDER
Con los años Federico habrá logrado que el apellido Peralta Ramos sea conocido en todo el mundo.

IGNACIO GUTIÉRREZ ZALDÍVAR *galerista, coleccionista y periodista*
Lo quise mucho y fuimos buenos amigos. La mejor anécdota que tengo con él fue durante su última exposición, que hizo en 1989 en la galería Altos de Sarmiento, sobre la calle Libertad. Se trataba de un gran espacio vacío donde no había obras. Federico vestía de traje y caminaba por la sala sin hablar. Lo entrevisté para un programa de televisión y durante cinco minutos le hice preguntas que no contestaba... fue muy surrealista.

MIGUEL SCHAPIRE *editor y productor*
En la muestra de Altos de Sarmiento había espejos en las paredes y lo que se exponía era, en realidad, el público. Federico aplaudió y dijo algo así como: "Señoras y señores, esta es mi exposición y el arte son ustedes; ustedes son mi obra de arte".

LUIS PAZOS *artista*
Uno de los momentos culminantes de su carrera fue cuando dio un reportaje por televisión. Se lo hizo el galerista-periodista Gutiérrez Zaldívar y se trató de una serie de preguntas a las que Peralta Ramos no contestaba. Fue el primer "reportaje mudo".

MIGUEL SCHAPIRE
Era irreverente. En su discurso no había pautas: puro delirio surrealista. Sus comentarios venían por ángulos inimaginables y todo dependía de su humor.

IGNACIO GUTIÉRREZ ZALDÍVAR
Recuerdo que a la pregunta "¿de qué trabajás?" él contestaba "de hijo".

LAURA BUCCELLATO
Fuimos al aniversario del entierro de Aldo Paparella en el cementerio francés de Baradero el día en que se instaló una escultura de Iommi. Estaban los amigos: Quique Barilari, Alberto Heredia, el propio

Iommi... los tipos que Federico respetaba. Después fuimos a comer a un restaurante del pueblo. Vino va, vino viene –en esa época corría mucho el alcohol–, alguien le pregunta con maldad a Federico qué piensa de Glusberg y él contesta: "Glusberg, Glusberg... Rafael Squirru está a años Glusberg de Romero Brest". Le propuse que escribiera la frase en mi agenda, cosa que hizo. Ahí inauguró esa expresión que después repetían todos.

EDGARDO GIMÉNEZ
Qué placer estar con él, no se parecía a nadie.

HUGO LAURENCENA *artista*
Estábamos en La Rambla con el fotógrafo Alberto Mazzini y esperábamos a Lila Zemborain, su novia. Federico tomaba un café con leche invitado por nosotros. Era otoño. Ventaneando desde una mesa de adentro vemos por Posadas a un concheto con mocasines Guido, cinturón de cuero crudo y sweater arriba del hombro que pasa y saluda a Federico con la mano. Federico piensa un poco y al rato dice: "Acaba de pasar un tuvo". Lo miramos y le preguntamos: "¿Un qué?". Y él remata: "Tuvo campo, tuvo mujeres, tuvo caballos de polo, tuvo dinero y ahora no tiene nada".

RENATO RITA *crítico y curador*
Con las manos en los bolsillos me dijo: "Los caballeros nunca tienen plata en el bolsillo".

PEDRO ROTH
Una frase de Federico en una servilleta: "La gente normal juega al polo".

LOLA BLAQUIER *agropecuaria*
¡Se hizo el muerto! Era verano en el campo –La Concepción– y había neblina. Estábamos nosotros, Federico padre, los Sánchez Elía... Recién terminábamos de comer. Antes de instalarse en el piso de arriba a jugar al truco, los grandes nos mandaron a prepararnos para las

escondidas. Entonces nos disfrazamos y todo eso. Federico tendría 12 o 13 años y yo, tres menos. Nos reunimos abajo del cedro y él se desplomó con los brazos abiertos, en cruz. ¡Ja ja ja! Estuvo más de una hora en el piso. Pensamos que lo había picado una araña o una serpiente. Girábamos como mangangá alrededor de él, cada tanto lo pellizcábamos o le tirábamos del pelo y el tipo no reaccionaba. ¡Estaba vivo! Así que su papá, que era malísimo, lo retó y lo puso en penitencia. Podríamos terminar así: "No todo lo que no se mueve está muerto". O así: "Federico siempre tuvo una relación muy viva con la muerte".

MARINA BLAQUIER DE ZUBERBÜHLER
Siempre decíamos que a cada Peralta Ramos le correspondía un Blaquier porque las dos familias estaban muy unidas. Federico y Diego –"El Yeti", lo llamaban– eran muy amigos de mi hermano Juanjo; las mellizas María y Fina eran íntimas de Malenita; Rosario era muy cercana a mis hermanas Lola y Teresa; y Sebastián sigue siendo súper amigo mío. Federico venía al campo y para nosotros se trataba de un loco lindo. Recuerdo que tocaba la guitarra a dúo con Hernán Moyano y que solía cantar "Fina estampa", de la peruana Chabuca Granda.

RAFAEL SQUIRRU *crítico y poeta* [extracto de un artículo publicado en *La Nación*]
Resulta demasiado fácil catalogar a Federico Manuel Peralta Ramos de "loco lindo", de "personaje delirante de Buenos Aires" o, como él mismo lo hacía, de "psicodiferente". Más allá de las *boutades*, de los desplantes actorales, de su humorismo a veces cáustico, de aquella condición de lo absoluto –como quería Baudelaire–, Federico era un artista y, cuando digo artista, digo un creador, un taumaturgo que con los materiales perecederos de la realidad inmediata logra hacer lo que se instala en el tiempo de la trascendencia, en el presente de la eternidad.

JULIÁN MIZRAHI *director de la galería Del Infinito*
Federico es nuestro Ben Vautier, ¡un pope! No tuvo la proyección

internacional que podría haber tenido y que él mismo evitó: no viajó a Estados Unidos a cumplir la beca Guggenheim que ganó en 1968. Decía: "Buenos Aires es el centro del universo y el Obelisco, el ombligo del mundo". Creo que tenía una condición muy localista. ¿Salir al exterior tal vez implicara un miedo al fracaso?

MARTA MINUJÍN
Su obra es genial y se parece mucho a la del artista francés Ben Vautier, que escribe con letra como de chico.

SANTIAGO VILLANUEVA *artista y curador*
Su obra quedó muy enmarcada en la idiosincrasia y la burocracia argentinas. En *La era metabólica*, la muestra colectiva que curó la española Chus Martínez en el MALBA [Museo de Arte Latinoamericano de Buenos Aires], se expuso una reproducción del huevo que la hizo dialogar con otros artistas y correrse de una lectura "porteña".

LAURA BUCCELLATO
Me parece maravilloso que, sin ser un demagogo barato, Federico le haya metido el dedo donde no llega el sol al Tío Sam y no haya viajado a Nueva York a cumplir la beca Guggenheim allá.

MARTA MINUJÍN
Cuando hice *La academia del fracaso* en el CAyC lo invité a hablar y empezó a decir cosas en contra de mí. Que yo iba a Estados Unidos a robar las ideas y traerlas a Argentina. Me insultaba en plena cara. Eso fue en el 75 y él ya tenía esos ataques de celos. Por ejemplo, si salía en una revista, compraba varios ejemplares y los repartía; y si yo salía en otra revista, se ponía celosísimo. Los mejores años para nosotros fueron el 68 y el 69. Hablábamos por teléfono cincuenta veces por día. Nos adorábamos.

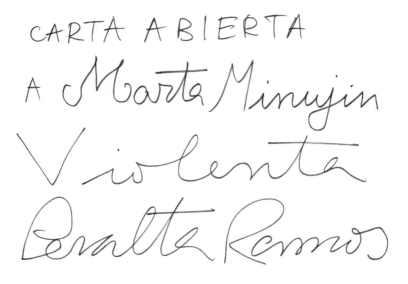

Frase de Federico Manuel dedicada a Marta Minujín que confirma, en cierto punto, el hecho de que un día se "divorció" de ella.

SEBASTIÁN PERALTA RAMOS
Federico llegó a casa y me dijo: "Me divorcié de Marta, estoy harto de que me robe las ideas".

ALEXA SANGUINETTI *arquitecta*
Tendría 17 o 18 años y caminaba con mamá por la avenida Alvear cuando de pronto nos encontramos con él. Le contamos que esa noche viajábamos a Estados Unidos y nos dijo: "El que se va de Buenos Aires atrasa porque Buenos Aires es la ciudad del futuro".

JUAN LEPES
Le escuché decir muchas veces que Buenos Aires era "chata, chota y cheta".

EDGARDO GIMÉNEZ

"Basta de irse a París", repetía. Había que quedarse acá y darse cuenta de que todos somos poetas. Era una gran exageración de Federico porque él suponía que los desaforados soportan mejor la realidad y que a los desamorados no hay que darles pelota. Como Romero Brest, Federico daba miedo por no ser vulgar ni masivo. La gente se asusta con aquello que hace tambalear sus creencias, sus ideologías y sus costumbres; cada vez que se acepta "lo mismo de siempre" es por inseguridad ante lo desconocido. Siempre lo escuché hablar con un énfasis especial de Jorge; como él, Federico era un provocador o, como se definía, "un boomerang que llegó hasta Dios y no quiso volver".

SARA GARCÍA URIBURU *directora de la galería que lleva su nombre*

"La Argentina es chata, chota y cheta." Eso me lo dijo en la galería, durante una inauguración.

MARTÍN BRAUN *empresario*

Una mirada alucinada y después se iba solito y quedaba allá, en el culo del mundo. Era diferente, ingenioso y original; era extraño, solitario, medio perdidón. Con mi primera mujer, Agustina Blaquier, lo llevamos en auto desde Colonia hasta Punta del Este y en el viaje nos dijo que se iba a dedicar a cantar, que sería cantor. La confesión sonaba a delirio ¡y quizá lo fuera! Yo le dije que había que prepararse y él aseguraba que sería un éxito. Jamás pasaba desapercibido.

PEPE CÁCERES

Era un ángel de Buenos Aires. Mucho de lo que decía parecía irónico, pero tenía una conciencia impresionante de la vida. Es tan grande su presencia en quienes lo tratamos, que jamás va a pasar desapercibido.

MARTÍN BRAUN

Un tipo querible del que recuerdo mucho su sonrisa gutural y contagiosa, y esta frase: "¿Qué nos sucede que nos estamos Alejandro, Magno?". Una pavada, pero me quedó.

EDUARDO GUIRAUD *escritor*
No fui amigo íntimo de Federico, pero lo frecuenté mucho. Recuerdo la siguiente anécdota: enero, mediodía, calor agobiante. Me encuentro con él caminando, como siempre lento y en actitud pensante, con las manos agarradas por detrás de la espalda, vestido con camisa blanca, abierta y arremangada, bombachas de campo y alpargatas. Le digo: "Tenés casa en Mar del Plata y en Punta del Este, ¿qué hacés calcinándote en Buenos Aires?". Respuesta: "A mí me gusta acá".

BLAS PERALTA RAMOS *agricultor y sobrino*
Mi abuela había decidido que toda la familia veraneara en Punta del Este y cuando llegamos él estaba como turco en la neblina porque no quería ir. A la playa caía con pantalón y camisa y llevaba el traje de baño en la mano como diciendo "¿dónde está el vestuario?". Lo rescató otro personaje, Lucho de Corral, que le armó un circuito: lo llevó a La Fragata, etc. Me acuerdo de que Federico decía: "A Born lo secuestraron los Montoneros, a mí me secuestraron los Peralta Ramos".

CARLOS ÁLVAREZ INSÚA
Odiaba profundamente Punta del Este. Decía: "La gente bien que va a misa se quedó en Pinamar y los descalzos en la sala van a la Barra de Maldonado". Esa frase la usaba mucho: "Los descalzos en la sala".

ZELMIRA VON DER HEYDE DE PERALTA RAMOS
No entendió Punta del Este y le pareció siniestro. "Todo el mundo te quiere mostrar la casa y a mí no me interesa en absoluto", decía. Un día vino al puerto y nos pidió que le organizáramos "el retornazo": había que organizarle todo porque no sabía hacer nada.

SEBASTIÁN PERALTA RAMOS

Una vez Diego se encaprichó en que toda la familia pasara Navidad en Punta del Este. A Fede no le gustaba irse de Buenos Aires, donde estaba cómodo. En Uruguay andaba como bola sin manija. Durante un almuerzo me dijo: "Quiero que me lleve a Buenos Aires con su avión". Le dije que no, que en ese momento era imposible, así que lo cargué en el auto, lo llevé a Gorlero, le tomé un pasaje en Aerolíneas y lo subí al colectivito que lo dejaba en el aeropuerto. Esa noche me llamó por teléfono a casa, feliz: ya estaba liberado. ¡Mamá casi me mata!

LAURA BUCCELLATO

Jaime Davidovich empezó como informalista y ya en el Di Tella pensó que en este país no podría hacer lo que quería. Además, su padre joyero no le veía pasta de artista, de modo que se instaló en Estados Unidos gracias a una beca. Si bien no era tan talentoso como videasta, su trabajo en la TV fue digno de un pionero, al punto de que está en todos los libros de la historia del video. Vivió siempre en Nueva York, donde llegó a tener un programa de cable alucinante en el que, vestido de forma genial y bajo el apodo de "Dr. Videovich", entrevistaba a todo el mundo, desde Sontag hasta Karpov. Muy amigo de George Maciunas, el fundador del grupo Fluxus, y de todos los que circulaban por el SoHo, dijo que Federico –al que había conocido en el Instituto– con sus textos y sus performances se había adelantado al grupo y que allá hubiera enganchado muy bien, pero él insistía con eso de "a mí me gusta acá".

PEPE CÁCERES

Mientras nosotros lidiábamos con los estilos de la pintura, él estaba lejos.

JULIO SUAYA *abogado, productor y comunicador*

Como un niño, a Federico cuando se lanzaba era imposible ponerle *stop*. En un programa de *Los 90, el arte que hacemos*, un ciclo de cable que conduje en 1989, se aprecia su torrente de palabras enlazadas. Tenía sentido lo que decía y tarde o temprano te caía la ficha: en él está

¿Qué es el arte?

El arte es transmisión de vida
el arte es hacerse cargo
del dolor y la alegría
de una época.
El arte es caminar
por la calle con vos.

El arte es andar con plata
en el bolsillo.
El arte es dar vida metafísica
a un mundo superfísico.

El arte es emerger de un viejo desorden
y construir un nuevo orden.
El arte es hacer reír y pensar a la gente.
El arte es tener talento
para vivir una vida maravillosa

Federico Manuel
Peralta Ramos

Reproducción del poema manuscrito "¿Qué es el arte?" que Federico Manuel recitaba con frecuencia (archivo Raúl Naón).

todo por descubrirse. Queda su imagen de loco, pero fue un creador y un anticipador.

CARLOS ÁLVAREZ INSÚA

No trabajaba de transgresor, sino que era la transgresión. Yo me acostumbré, pero si de pronto estabas con alguien desprevenido y Federico se ponía a cantar "Soy un pedazo de atmósfera" con el boliche vacío, eso ya significaba una prueba de amistad para cualquier escudero. Nada le podía aburrir más que la cosa de "hiciste una performance". El 99,9% de los tipos que vivían en Buenos Aires no se lo bancaban. Les divertía, pero elegían no moverse con él.

MIGUEL SCHAPIRE

En Le Club, el bar-restaurante que tuve entre 1974 y 1983, tenías que estar prevenido porque Federico se "adueñaba" de vos. Se ponía celoso si no te ocupabas de él. No hablo de conato de violencia, pero sí de malhumor: "Me levanto de la mesa y me voy". Aunque nunca me detuve a pensar si era loco porque yo estaba rodeado de colifas, para muchísima gente estaba totalmente piantado, de modo que había que filtrar lo que decía y lo que hacía.

JULIO SUAYA

En aquel programa recitó un poema: "El arte es transmisión de vida./ El arte es hacerse cargo/ del dolor y la alegría/ de una época. / El arte es caminar/ por la calle con vos./ El arte es andar con plata/ en el bolsillo./ El arte es dar vida metafísica/ a un mundo súperfísico./ El arte es emerger de un viejo desorden/ y construir un nuevo orden./ El arte es hacer reír y pensar a la gente./ El arte es tener talento/ para vivir una vida maravillosa".

MECO CASTILLA *abogado, artista y ex director del Museo Nacional de Bellas Artes*

Iba en un taxi a Ezeiza y lo vi caminando con sus zapatillas Pampero por la 9 de Julio. Le dije que subiera —cosa que hizo— y le pregunté qué quería que le trajera del viaje. "Unas zapatillas iguales a estas", contestó. Sin duda, eso reforzaba su idea de "a mí me gusta acá".

JULIÁN MIZRAHI
Fue uno de los performers más auténticos del país y, por qué no, de Latinoamérica. Era igual todo el tiempo y en todos lados, tanto en la vida como en el arte. La autenticidad y la espontaneidad son atributos súper válidos en un artista y en Peralta Ramos lo que ves es lo que es, sin artificio. Leo su firma y de inmediato veo su cara; eso no me pasa con Emilio Pettoruti o Raquel Forner, por ejemplo. A nivel performático, a nivel rupturista, Federico era genial: se defendió con lo que mejor sabía hacer y lo llevó a cabo sin tapujos y sin vergüenza ya que todo le chupaba un huevo (aunque, eso sí, le gustaba que lo vieran bien).

SEBASTIÁN PERALTA RAMOS
En Argentina abundan los simuladores y escasean los auténticos. Cobran caro. A Fede le cobraban caro.

ALDO PAPARELLA *artista* [tomado de "Un salvaje nos reprocha", un catálogo de Art Gallery International de 1975]
Estoy convencido de que con el gran huevo del Di Tella quería empollar una humanidad mejor, pero los fetos de adentro eran tan voraces que se comieron la sustancia de donde tenían que nacer.

CARLOS ÁLVAREZ INSÚA
Entrando en una reflexión dura acerca de la contemporaneidad, no he conocido a un artista más contemporáneo que Federico: se cargaba como un bicho de luz en la penumbra del presente. Sus gestos sucedían en ese momento que siempre se pierde y tenían la luminosidad que hace al arte contemporáneo, ese relumbrón indescifrable y naturalmente profético de algo que está pasando ahora mismo. Él era la profecía del presente, con lo cual hoy su obra –lo que quedó de ella o incluso su relato conceptual– puede ser mirada y ponerse a jugar. Sus

performances artísticas son severas y rigurosas y, si bien era localista, se miró en Beuys y en otros artistas de su época.

PEPE CÁCERES

Hablábamos mucho de un pintor ruso que él admiraba por su tratamiento de la pintura: Vladímir Tatlin.

JULIÁN MIZRAHI

Hay que tener en cuenta el contexto en que realizó su obra. Mucha gente se preguntaba: "¿Qué carajo hago con una frase de Federico escrita con un marcador? Mejor cuelgo un Polesello". Por eso gran parte del corpus de FMPR está en la basura. Rastreamos a muchas personas que tenían cosas de él para conformar la muestra que le dedicamos en 2017 y básicamente todo giraba en torno de un coleccionista muy reservado que nadie sabe quién es, cuyo nombre no puedo develar y al que apodaré Willie.

WILLIE CÚNEO *coleccionista*

Soy un coleccionista-anti-coleccionista porque considero que uno tiene que desprenderse de las cosas en vida. Debo haber sido uno de los primeros que compró papeles de Federico. De hecho, conseguí la primera frase que escribió: "Serás lo que te tocó ser y dejate de joder". Quien lo animó a mostrar sus trabajos escritos fue Nicolás García Uriburu, compañero de la carrera de Arquitectura. Nicolás subastó esa frase en Roldán, donde la compré yo. Recuerdo que la gente me miraba con cara de "¿vos estás loco?".

MARTA MINUJÍN

Como obra plástica, sus poemas eran maravillosos, pero no tanto los dibujos. Me regaló la frase "Qué lindo que es caminar por las calles de Buenos Aires, entrar en un bar y tomarse un cafecito", escrita con letra de nene y en marcador. También me regaló el tacho de basura que fue rechazado por el Salón Nacional.

JUAN LEPES

Tengo uno de los pocos objetos de Federico que quedan. Es un tacho de basura con lienzos dentro. Lo hizo cuando decretó que había muerto la pintura de caballete. Resulta que una gente me llamó –no puedo decir de quién se trata– para pedirme que los ayudara a tirar cosas a la basura. Entonces vi el tacho y dije: "¡Pero esto es de Federico!" y lo rescaté.

JULIÁN MIZRAHI

En Argentina, a veces el mercado rechaza a los artistas. Quienes conservaron algún papelito de Federico fue por cariño. Además, él no invertía mucho en materiales: los bastidores son los más finitos, las telas son una porquería… ese es el rigor y la vida que eligió. De veintidós obras que expusimos en la muestra solo vendimos dos: una la compró Inés Katzenstein, que todavía no había sido nombrada curadora de arte latinoamericano del MoMA. Es complejo valorizar la obra de un tipo del que casi no quedan cosas en plaza. Con la frase "Para no ser un recuerdo hay que ser un re-loco", que se vendía en 15.000 dólares, me dijeron de todo, me pelotudearon.

LUIS TINO *anticuario y coleccionista*

La obra de Federico es muy buscada en un ambiente de bajo perfil. Yo tuve un poema suyo que llevé a un par de galerías y me lo tiraron por la cabeza.

GUILLERMO FERNANDO AQUINO

Él tenía cuenta corriente en algunas librerías-papelerías, como la Sarmiento de la calle Libertad, donde compraba marcadores y telas sobre las que escribía un poema al momento de pagar un café. Nadie pensaba que eso podía tener un significado o un valor. Tengo varias frases escritas por él. Una de las típicas es: "Solamente consiguen un oasis aquellos que se bancan el desierto".

JULIÁN MIZRAHI

Levantamos campamento y partimos a la feria ARCOmadrid cagados hasta las patas. Había frases que en España eran difíciles de explicar por su *slang* particular; por ejemplo, "El país a medida que fue perdiendo tela fue de Guido Di Tella a Minguito Tinguitella". Sin embargo, funcionó. Diecisiete instituciones del mundo se acercaron a buscar obra. Salvo dos cuadros que teníamos en consignación, el resto del stand tardó un día y medio en volar, desde un papel chiquito hasta la tela más grande, en precios similares a los de Buenos Aires. Una de las colecciones importantes que compró es la Hochschild, de Lima, cuyo curador, Luis Pérez-Oramas, fue reemplazado por Katzenstein en el MoMA. Eso quiere decir que dos curadores del ente de validación más relevante del mundo adquirieron un Peralta Ramos.

GUILLERMO FERNANDO AQUINO

Era, de alguna manera, un tipo ocioso; en realidad estaba todo el día al pedo. Por ahí pasaba su opción de vida. Eligió dormir al lado de los cuartos de servicio de su casa, por ejemplo. Estuve mil veces ahí. Un día me contó que llegó y su madre estaba tomando el té con dos amigas. Como una de ellas cumplía años, fue a su cuarto a buscarle un regalo. Cuando volvió al living, le puso en la mano a la señora un pote de shampoo empezado y le dijo: "Te lo regalo".

ESTEBAN ZORRAQUÍN

Mis abuelos vivían en un departamento bastante grande en el que Federico había escrito en una pared: "En esta casa se trabaja por un mundo mejor. Tenemos tanto amor para dar que a veces llegamos al llanto. Si alguna vez sentís soledad, tristeza o desamparo, acordate de que esta casa es un lugar donde te esperamos con charlas inteligentes, con muchos mates para tomar y con una caricia en el mentón". Su dormitorio quedaba cerca de la entrada de servicio. Tengo el recuerdo de verlo, a mis ocho años, semidesnudo, el velador prendido, las manos sobre la prominente panza al aire y la mirada en el techo, como en trance. Le pregunté a mamá qué estaba haciendo Federico y me contestó: "Está pensando".

ALBERTO FAVERO *músico*
Federico tenía una vida bastante solitaria que lo dejaba pensar mucho; una especie de vida de anacoreta, de reflexión y calma, creo que por necesidad de balancear la fogosidad de su temperamento. Eso hacía que me resultara muy interesante conversar con él pues siempre vislumbraba algún aspecto que solo su costado pensante y reflexivo permitía observar.

HOBY DE FINO *periodista y conductor*
En 1988 yo tenía 22 años y trabajaba en Radio El Mundo con el Muñeco Mateyko. En ese laburo conocí al periodista Carlos Álvarez Insúa, íntimo de Federico. Siempre tuve empatía por los bares de carcamán, ¡y La Biela es la catedral de los carcamanes! En aquel entonces el bar lucía más chiquito, más auténtico que hoy. Resulta que una tarde estábamos con Carlos en La Biela y terminamos tomando un *coffee* con Federico, que en esa época le divertía hablar de quién era el intendente de Barrio Norte, algo así como el personaje dominante del mes. Le interesaban los conocidos no por portación de apellido sino en el sentido de "personaje", y se inclinaba por los "tapados" que hilan fino por debajo.

ALBERTO FAVERO
Le encantaban las canciones de Jorge de la Vega y ahí fuimos a por ellas: "El gusanito", "La hora de los magos" y "Diamantes en almíbar", entre otras, para el espectáculo *La última pituca*, que hicimos en el café Mozart con Laura Rivero. Cuando quedamos en grabar esos temas –las sesiones eran una fiesta porque se le ocurrían cosas desopilantes–, recuerdo que íbamos en mi auto por Libertador y lo noté un poco tenso. "Grabar debe darle un poco de *stress*", pensé. Se bajó en Alvear y yo seguí para mi casa. Cuando llegué me di cuenta de que, al bajar, lo había hecho con tanta fuerza, que la palanca de la puerta estaba rota.

LAURA RIVERO *actriz y cantante*
Cuando en el escenario yo mencionaba a Juan Cagarteche o a José

Garcalde, Fede se entusiasmaba porque creo que, en un punto, se sentía lastimado por los de su clase; de ahí su frase "Si tirás una bomba en Recoleta, rebota". Fuera de contexto puede parecer que había una necesidad de enjuiciar a una clase social en particular cuando no la había. Desde mi perspectiva, el mundo se viene abajo por la necesidad del ser humano de enjuiciar. La miseria que percibo es culpa del "todos contra todos", de modo que si percibís miseria, encontrás miseria. Lo que pretenda transmitir como artista no es importante salvo porque Fede se subió al escenario conmigo apoyando cierto mensaje. Si bien él cantaba "La hora de los magos", donde dejaba en claro que "cada loco con su tema", apoyó mi tema. Mi tema es –y siempre fue– el de la necesidad de unirse y dejar de juzgar; el suyo fue "arte vivo". Como decía en aquel poema, "Arte es cualquiera de nosotros caminando por la calle".

HOBY DE FINO

Otra vuelta tuve mi *coffee* "personal" con Federico, con la carga de lo que sucede por única vez. Como yo sabía que el tipo era un groso del rioba, me impresionaba estar frente a él. Fue una situación como de terapia en la que me tiró la mejor (en un punto se la tiraba a todos: si te sentabas con él, ya había onda). Recuerdo que me miró a los ojos y me dijo: "A vos todavía no te van a entender y quizá recién lo hagan dentro de treinta años". Sus palabras me marcaron porque, para mí, Federico era un cerebro, el cerebro de la Recoleta.

BOBBY FLORES *conductor radial y DJ*

La llave del mandala me la dio Peralta Ramos. Es incomprobable lo que me dijo y nunca lo voy a contar, pero, cuando me levanto medio bajón, pienso en eso y me emociono. Yo tendría 27 años; había hecho televisión, radio Bangkok, un show y no quería hacer más nada de todo eso, al punto de que estaba haciendo lo que nunca hubiera querido hacer. Andaba totalmente deprimido por mi éxito y le dije a Federico que quería largar todo, que esto era una mierda, una mierda y una mierda.

Caminábamos juntos y recuerdo que yo puteaba para adentro cuando él me abrazó y me dijo: "Un día te vas a poner de moda". Si algo me salía bien, me agarraba del codo –siempre me agarraba del codo y me decía "Robertito"–: "Todos los días la naturaleza, Dios, la vida misma te

Afiche de *La última pituca*, el espectáculo de Alberto Favero y Laura Rivero que se presentó en 1991 en el Café Mozart y en el que participaba Federico Manuel.

da una lección. Mirá para arriba, mirá el sol: luego del cenit sobreviene el ocaso. Es inexorable, inmediatamente después de llegar a lo más alto, aparece la noche sin sobresaltos. Y ahí sí, en la noche, todos bailamos".

CARLOS ÁLVAREZ INSÚA
Era muy amoroso, te conmovía todo el tiempo. Podía llamarte a las diez de la noche: "Carlos, ¿me llevás a pasear en auto?". Lo buscaba y manejaba hasta Pepino, en San Isidro, para pegar la media vuelta –no quería bajarse, era pura circulación– y tomar un café en La Rambla.

GABRIEL LEVINAS *galerista, editor y periodista*
Era como un paquete de azúcar.

LAURA RIVERO
Era como una bomba llena de afecto.

ESTEBAN ZORRAQUÍN
Pier Cantamessa me contó que un día lo vio a Federico sacudiendo una lámpara y le preguntó qué pasaba. La respuesta fue: "Estoy discutiendo con Dios".

GUILLERMO FERNANDO AQUINO
Yo vivía en San Isidro y no tenía auto, así que cada noche volvía a casa en tren. Una vez me quiso acompañar para ver qué conversación surgía durante el viaje. Serían las cuatro de la mañana. Llegamos, caminamos unas cuadras desde la estación hasta la puerta de casa y pegó la vuelta.

ALEJANDRO AGRESTI *cineasta y escritor*
A los 17 años yo vivía de prestado en unos monoblocks al lado de Boulogne, trabajaba de cadete en una financiera del Bajo, escribía y andaba de acá para allá con libros afanados. Una vez, escribiendo en el primer piso del Bar O Bar, se me acerca un carcamán que me bichaba desde la planta baja con un fato y me pregunta qué estoy escribiendo. Agarra

unas páginas, las mira. "Muy interesante", dice. Me pregunta si quiero tomar algo y le digo que no, que gracias (cuando a mí me alcanzaba justo para un café). La cuestión es que el tipo se va y al rato llega el mozo con una picada tremenda y una cerveza. Me dice que lo manda el carcamán y yo pienso: "Tengo que ser parte de este bar". Entonces empecé a quedarme de noche y así fue que conocí, entre otros, a Fogwill, a Miguel Briante y al Gordo Federico, que solo tomaba té con una manzana.

CARLOS ÁLVAREZ INSÚA

Usaba esas excursiones, a sus amigos y a la gente con la que conversaba como planes de obra. Durante siete u ocho años nos entregamos a la elección del presidente de Barrio Norte. Charlábamos de otra cosa y de pronto Federico preguntaba: "¿Hoy quién es?". Empezábamos: "¿Vilas, que se compró la casa en Schiaffino?, ¿Bob Vázquez Mansilla, que está en el jurado de Romay?". Listas interminables que se actualizaban cada dos o tres días. Soy escritor, de modo que no participo de las artes plásticas, pero aun así creo que Federico estaba haciendo gimnasia conceptual con la comicidad como resorte continuo. Tengo muy frescos los años en que nos vimos continuamente, del 84 al 91, poco antes de su muerte.

ALEJANDRO AGRESTI

Con el Gordo íbamos también, alguna que otra vez, a La Paz, y los viernes nos juntábamos en Seddon, un bar de la calle 25 de Mayo. Resulta que con un amigo mecánico me hice de un Mehari y, como nos turnábamos para usarlo, le anticipé al Gordo que el viernes siguiente me tocaba a mí. Él me dijo: "Ese día viene Carlos... el campeón". Insistía con eso y yo no tenía idea de quién me hablaba. Llegué a Seddon el viernes y en la mesa estaba Carlos Monzón sentado con Federico, que había traído tres sombreros mexicanos. Nos pusimos los sombreros, nos trepamos al Mehari –el campeón iba atrás en pedo, yo iba de copiloto medio en pedo, el Gordo manejaba sobrio– y fuimos a Sigmund, un bar que acababa de abrir en San Isidro.

PEDRO ROTH

Con respecto a Federico es muy difícil no contar cosas personales. Cada uno lo vivió de manera diferente y con cada uno tenía una relación distinta. A mí, por ejemplo, me decía que yo era su socio.

NORA INIESTA *artista*

En 1987 hice una exposición en la galería Villa Baranka, en Ámsterdam. Federico Manuel escribió uno de los prólogos del catálogo y para hacerlo fue condición que lo buscara por su casa en taxi. En el trayecto a San Isidro fue dictándome el texto. Llegamos, bajamos, tomamos un café y de regreso a Capital leímos y corregimos sus palabras. Entre otras cosas hablaba de John Lennon, de quien decía que era un romántico con formación idealista. El prólogo terminaba así: "El fin del período revolucionario condujo al nihilismo, o sea a la ausencia de toda conciencia, pero en la prolongación que Nora Iniesta nos muestra con su obra empieza una etapa que yo llamo 'el post-nihilismo'. Es pedirle a la vida otra oportunidad, aunque con un romanticismo completamente distinto del anterior. Gracias Nora, vos viste lo que venía después. Tu exposición tiene mucha actualidad; has sacado del pozo a mucha gente, a los cansados en el camino. Las máquinas te acompañan".

JUAN JOSÉ CAMBRE *artista*

En el 76 se le ocurrió presentar mi primera exposición en la galería Lirolay. A partir de las pinturas hablaba de quién era yo. Dos años después presentó otra muestra, esa vez en la financiera San Martín y por iniciativa mía. Estuvo espectacular. Por aquellos tiempos casi no nos veíamos, así que inventó todo. Si bien no soy muy rockero, mientras trabajaba en los cuadros que expuse me apegué mucho a la música de los Rolling Stones, aunque lo que yo hacía no tenía nada que ver con ellos. En su presentación Federico se mandó a decir, *motu proprio*, que mi pintura era un retrato metafísico y que estaba vinculada con los Stones. Me quedé duro.

Federico Manuel solía presentar las muestras de muchos artistas amigos con algún poema, una canción o un monólogo; acá se lo ve inaugurando la primera exposición de Juan José Cambre, que se realizó en 1976 en la galería Lirolay.

LAURA BUCCELLATO

Recitaba, improvisando o no, en muchas inauguraciones. No digo que fuera un payador porque no lo era: él transmitía siempre su mundo, pero con una gentileza que incluía, de su mundo, al artista que fuera.

HUGO DE MARZIANI *artista*

Se sentaba en esta mesa del Florida Garden, justo debajo de la escalera, acá, y todos los días tomaba una botella de Villavicencio sin gas que su padre pasaba a pagar a fin de mes. En aquella otra mesa había una mujer con un pendejo que subía y bajaba la escalera. Subía y bajaba. Durante un rato largo ella le pedía, sin éxito, que se quedara quieto. Federico, que miraba todo con los ojos así de abiertos, le dijo: "Yo sé qué va a ser su hijo cuando sea grande". La mujer le preguntó: "¿Y usted cómo sabe, si no lo conoce?". Él contestó: "Sé que va a ser mozo porque usted lo llama y él no viene". En 1984, cuando gané la beca Guggenheim, me encontré con Federico y quiso saber qué me había parecido Nueva York. Le hablé de los museos, de las obras… Y él dijo: "¿Sabés qué pasa?, a mí me gusta acá". Y golpeaba la mesa: "A mí me gusta el Florida Garden".

JAVIERA NAVARRO *bailarina y coreógrafa*
Le encantaba la esquina de Paraguay y Florida, al punto que decía: "El barba me sorprende mucho acá".

ALEJANDRO MAGLIONE *periodista y crítico gastronómico*
Federico tenía un arreglo con un mozo del Florida Garden. Se sentaba a las cinco de la tarde en la mesa de siempre y le pedía que a las cinco y media se acercara y le diera un cachetazo. Con esa acción, lo que le interesaba era observar y anotar la reacción de los parroquianos: constataba que había una gran indiferencia o bien que algunos tomaban partido tratando de abofetear al mozo.

ANDRÉS OPPENHEIMER *periodista* [extracto de un reportaje que le realizó a Federico Manuel Peralta Ramos en 1975 para la revista *Siete Días*]
—Desde hace unos meses estoy haciendo un trabajo en el Florida Garden.
—Felicitaciones. ¿Te contrataron los dueños?
—¿Estás loco? No, no. Lo que estoy haciendo es un trabajo de situaciones y aperturas de vida.
—Concretamente, ¿de qué se trata?
—Bueno, ocurre que el Florida es un lugar despiadado, un sitio que no perdona a los fracasados como yo. Casi todos sus concurrentes son ejecutivos o gente que se las tira de tales y el que no lo es, se embroma.

Entonces, yo estoy haciendo un trabajo de ablandamiento, empezando por los mozos. Mi propósito es convertir al Florida en un templo de la ternura donde todo el mundo se quiera mutuamente. El día en que consiga esto, lo voy a exponer: pienso ponerle un título a mi obra en la puerta, firmarla y todo.

–¿Y cómo pensás llevar a cabo tan ardua tarea?

–Como dije antes, he iniciado el trabajo a través del ablandamiento de los mozos. Uno de ellos, César, tiene la orden de darme un servilletazo en la cabeza cada vez que pasa a mi lado. [Para corroborar sus palabras, FMPR hace una seña al mozo de marras; como resignado a su suerte, el hombre se abre paso entre las mesas y, sin poder contener su risa, lo más disimuladamente posible, le martilla la cabeza con su servilleta. Dos señoritas enclavadas en una mesa vecina estallan en una carcajada nerviosa y otro caballero, un poco más allá, emerge sorprendido de un diario que lo cubre casi por completo, mira con ojos de buey a los protagonistas del inexplicable episodio y pone cara de no entender nada. Federico, victorioso, retoma el hilo de la conversación.] Estamos haciendo unos progresos bárbaros: hasta los tipos más copetudos, cuando después de venir algunas veces entienden que se trata de una broma, se ríen y hacen algún chiste en la mesa vecina. Si todo sigue bien, calculo que dentro de unos pocos meses la obra estará concluida.

CARLOS BERTA *mozo jubilado del Florida Garden*
Empecé a trabajar como mozo de mostrador en 1970 y me jubilé en 2017. Recuerdo que mi colega César le fiaba a Federico, que no manejaba plata, durante todo el mes. Cuando él cobraba la mensualidad que le daban los parientes, entraba vestido de bombacha bataraza y boina al Florida, decía "César, ¿cuánto te debo?" y pagaba sus deudas. Al otro día volvía y ya no tenía un peso, de modo que bajaba del taxi y de nuevo le pedía prestado a César. A veces, recuerdo que iba a El Agujerito, la tienda de música de la Galería del Este, y compraba un *long play* para regalárselo a César. Era bonachón y muy inteligente, con una locura que no entendías mucho.

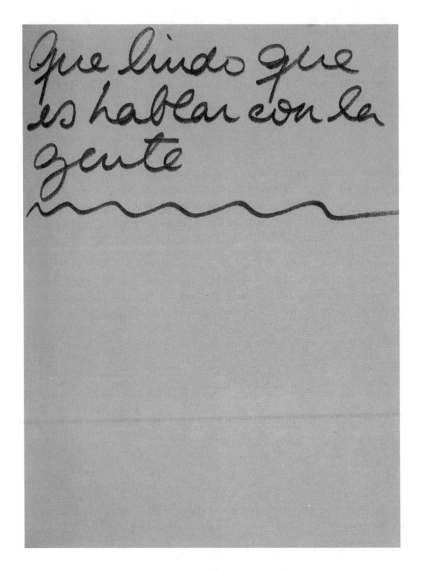

Otra frase del libro de visitas que Diego Peralta Ramos le compró a Héctor Pérez en 2009.

RODOLFO RABANAL *escritor*
Entre 1970 y 1975, época difícil y súper entusiasta, hacíamos una posta en las mesas del Florida Garden, como si estar una hora allí constituyera un antídoto contra la realidad política reinante. Estaban Sergio Renán, el padre de los hermanos Pauls, Odorisio, el gran Landrú y hasta Isidorito, a quien todos atribuían relaciones de compromiso con la KGB: un micromundo de artistas, empresarios descolgados y *services*.

LUIS TINO
Cuando ganó Menem, en la barra del Garden me dijo: "Es como si hubiera triunfado la Difunta Correa".

RODOLFO RABANAL
Yo me sentaba a escribir en una mesa cercana a la puerta de la esquina y tomaba lo que podría llamarse "impresiones de la realidad". Una tarde entró el Gordo y ocupó con un amigo la mesa próxima a la mía. De inmediato escuché su estructurado discurso delirante sobre la situación sociocultural que nos rodeaba y no pude evitar la tentación de "copiarlo": era genial, atrevido y podía construir situaciones falsas más verosímiles que la a veces reiterativa realidad. No recuerdo qué cosas dijo aquella tarde y no conservo –era pre-Internet– el artículo que salió horas más tarde en *Panorama*. Me contestó con un chiste de munición gruesa y a partir de ahí empezamos a tener cierto trato.

RICARDO ROUX *artista*
Un día, en una mesa redonda en el MAMBA, Federico dijo: "La Casa de Gobierno es una inmobiliaria".

RODOLFO RABANAL
Un mediodía dijo, mientras comía un plato caliente servido por César, el camarero emblemático de aquellos tiempos: "Esto se derrumba, mi viejo". Horas después estalló una bomba en la vereda de enfrente, sobre la acera de Paraguay.

BOBBY FLORES

Pepe Eliaschev agarró Radio Municipal en 1989, con el cambio de gobierno, y yo trabajé ahí. Entonces Federico me dijo que la radio era ideal para hacer un programa de pintura que tenía en mente. "¿De pintura, en la radio?", le pregunté. Armó una mesa con Hugo Laurencena, Carlitos Freixas, Jorge Duarte, Mario Salcedo, algunos más y él, que era el conductor. Proponía, por ejemplo: "Hoy vamos a hablar de Cézanne". Decían cosas imposibles, como si fueran discusiones futboleras. El programa se llamaba *Agarrate Catalina, arte al toque*, un título que en esa época ya era subversivo.

ERNESTO BALLESTEROS *artista*

¡Qué hermosa persona! Estuve presente cuando repartió los Mandamientos Gánicos en la puerta del Florida Garden. Él vestía su look habitual, "cheto antiguo clásico": pantalón gris, camisa celeste con rayitas, tal vez mocasines. Los mozos que lo conocían salieron a buscar su folleto, una impresión que, según recuerdo, tendía al violeta.

PEPE CÁCERES

Empilchaba como un niño paquete.

BONY BULLRICH *artista*

Un día íbamos mamá y yo, que tenía 10 años, a lo de la crítica Silvia Ambrosini, y nos encontramos en la calle con Federico, que nos propuso que tomáramos juntos el 60. Mamá y él conversaban sobre los seres gánicos: eso y los veinte pasajeros que los miraban como si fueran marcianos son inolvidables para mí.

CARLOS ÁLVAREZ INSÚA

La psicosis permite la obra maestra de Federico que es la literalidad: nada de metonimia ni de metáfora. Es una idea que Lacan desarrolla en uno de sus *séminaires*. Por eso se sintetiza –"FMPR"– y estampa las iniciales en su camisa o se cuelga una patente del cuello con ellas y sale a caminar, "patentado" en vez de "potentado", por Alvear.

OSVALDO CENTOIRA
Una vuelta me dejó una tela enorme pintada a mano que decía "Mal de Plata". Se la regalé a Bergara Leumann. Todavía debe estar en La Botica del Ángel.

CARLOS ÁLVAREZ INSÚA
Hizo una vida literal en la que no había territorio para la metáfora, una vida gánica que se manifiesta de manera unívoca y quienes la leemos nos volvemos locos porque nos transforma continuamente en seres que solo funcionan en la paja mental del significante y dejan de lado el significado. Ahí hay algo muy fuerte y corajudo en la obra de Federico. En *Mal de Plata*, por ejemplo, no hay nada más que leer.

JUAN JOSÉ CAMBRE
En el 81 Federico hizo una muestra en ArteMúltiple. Cuando se inauguró, la galería estaba vacía: solo había una foto chiquita –un retrato de él con Clorindo Testa– y una escalera. Lo ayudaron a subirse y extender una pancarta. Entonces dijo: "Mi bisabuelo fundó Mar del Plata y yo, en este acto, fundo Mal de Plata". Decía que desde ahora era una ciudad "para andar en bicicleta, para comer solo dieta, no hablar de tasas, pensar mucho y sufrir poco".

GABRIEL LEVINAS
Hizo la última muestra de mi galería ArteMúltiple. La sala estaba totalmente vacía y él colgó cuatro cuadritos: uno para cada una de sus iniciales, pintadas con distintos colores. Habíamos armado un pequeño escenario para hablar –entre otros, estaba Samuel Paz– y en un momento entraron tres nazis y armaron un quilombo bárbaro.

JUAN JOSÉ CAMBRE
Se armó un revuelo impresionante, todos se pegaban con todos. Yo era un mero espectador.

GABRIEL LEVINAS
Me puse como loco y me cagué a trompadas con los tipos. No sé cómo hice, pero me las arreglé solo para revolearlos por la escalera. Cuando subió mi mujer le tiraron un piedrazo, así que bajé y volví a cagarlos a trompadas. Cerrar ArteMúltiple con Federico fue una manera de decir algo.

LAURA BUCCELLATO
Federico no juzgaba al otro y se divertía con la vida, a pesar de que la suya fuera bastante trágica en muchos aspectos. El ninguneo familiar era muy doloroso. No lo estoy idealizando: verlo me daba alegría porque me cambiaba de registro. Y no lo hacía contando chistes, sino de manera amable; no transmitía agresividad y tampoco era un seductor de esos que andan *wuaaaa*. No pretendía, sino que seducía indirectamente. Tenía la libido puesta en la vida y en los afectos, que le importaban más de lo que demostraba. En el fondo era tímido y tal vez por su historia familiar le costaba expresar sus sentimientos. Si bien ironizaba con lo de *Mal de Plata*, hacía ese tipo de chistes. Era un poco aniñado. Uno, con los padres, es siempre un poco niño.

MARTA MINUJÍN
Todos los días estábamos juntos en el Florida Garden: nos encontrábamos al mediodía y nos quedábamos hasta la tarde. Comíamos huevos duros con café. Una vez yo pedí un huevo y Federico pidió dos; pedí tres y Federico pidió cuatro, y así llegamos a comer más de veinte. Inventábamos cosas sin parar y hablábamos poéticamente, teníamos una especie de amor platónico. Pier Cantamessa era el intermediario, al punto de que nos bautizaron Los Tres Mosqueteros.

En esta polaroid aparecen Federico Manuel Peralta Ramos, Pier Cantamessa y Marta Minujín, a los que habían bautizado Los Tres Mosqueteros (archivo Raúl Naón).

En un momento a Federico le empezaron a doler los afectos y se separó de sus mejores amigos: de mí, de Finita Ayerza, de Federico González Frías. Recuerdo que un día lo llamé, me colgó el teléfono y nunca más me habló. Le agarró como un revire brutal. Yo estaba en el Florida y no me saludaba ni me hablaba, me ignoraba por completo.

RAFAEL BUENO *artista*

En 1981 me invitaron a participar de una muestra grupal titulada *Plásticos jóvenes y sus maestros.* Elegí de maestro a Federico Manuel, quien se presentó a sí mismo como obra de arte leyendo sus poemas "Lejos" y "Para John". Antes de que me fuera a vivir a Nueva York me regaló unos guantes de box y un texto que dice: "A Rafael Bueno, usted que insiste, no afloje que está por aclarar".

ALFREDO PRIOR *artista y músico*

Me parece un artista extraordinario y no tan reconocido, un tipo que hay que tener en cuenta. En una muestra de Rafael Bueno, de quien era muy amigo, recuerdo que dijo: "Bueno es malo".

RAFAEL BUENO

El mejor recuerdo que tengo de él es cuando presentaba mis muestras personales y arrancaba diciendo: "Vengo a presentar esta muestra de Rafael Bueno, un hombre con misión social".

ALFREDO PRIOR

Nadie lo contradijo. Y ahora Bueno es más bueno que antes.

PEDRO ROTH

Un día la madre cumplía años y Federico le regaló unos guantes de box con una dedicatoria de Pier Cantamessa: "Box populi, box dei". Cuando los padres festejaron sus bodas de oro, les mandó a grabar una copa enorme con los nombres de los hijos y los nietos, un trofeo que significaba que habían llegado.

BEATRIZ CHOMNALEZ *cocinera*

Era muy amigo de mi marido Raúl. Venía a casa, decía: "Necesito bañarme" y empezaba a desnudarse: se sacaba la camisa y nos pedía que se la plancháramos. Después remataba: "Esta casa es maravillosa, me reciben como a un hijo".

PEDRO ROTH

Por iniciativa de Cantamessa organizamos la muestra *LimpiArte* en el Laverap de la mujer de Berni frente a El Archibrazo, en Sarmiento y Mario Bravo. Todos expusimos algo y Federico llegó, se subió a una mesa, se sacó la camisa y la hizo planchar: esa era su obra. La lavandería todavía existe.

OSVALDO CENTOIRA

Con Juan Andralis pactamos que cuando tuviéramos cien frases de Federico haríamos un libro.

GUILLERMO FERNANDO AQUINO

Había descubierto a Cesare Pavese y le encantaba aquello de "la mirada olímpica". Eso se lo fomentaba Andralis, un tipo que era un genio y tenía la imprenta-editorial El Archibrazo. Federico lo había bautizado "el griego perfecto". En Francia había sido *clochard*, había formado parte de los surrealistas, había participado como ilustrador en muestras con Man Ray o Max Ernst, había sido amigo de Breton, de Tzara y de Péret, había trabajado como tipógrafo con Cassandre y Frutiger, había conocido a Marcel Duchamp y, laburando en publicidad, había ayudado a diseñar el logo de Yves Saint Laurent. Jamás revelaba su edad. Le preguntabas cuántos años tenía y contestaba: "Mis planes abarcan siglos". La cuestión es que Federico estaba enganchado con el escritor italiano y un día me dijo: "Tenés la mirada olímpica porque mirás lejos y eso merece un regalo". Acababa de cobrar su mensualidad, así que fuimos a Mary Terán de Weiss, una tienda de ropa deportiva cuya dueña era la famosa tenista, y me compró una visera carísima para mi mirada olímpica. Me la acuerdo de memoria: era azul por fuera y verde por dentro.

OSVALDO CENTOIRA

De las cien frases me gusta mucho la que dice "Hay otra vida, pero es carísima".

EDDA BUSTAMANTE *actriz*

Una noche estábamos en La Verdulería, una especie de bar muy loco que mi ex Claudio Madanes había heredado y donde empezó a hacer cosas a las que yo les ponía mi nombre y mi cara. Fue una propuesta que llevó a la calle Corrientes para arriba. Resulta que habíamos ido a un *vernissage* con Claudio y con Federico. Ellos vestían traje y yo, divina. Terminamos en La Verdulería, por supuesto. Empecé a charlar a solas con Federico, que se sacó la corbata, me la puso alrededor del cuello y dijo: "Te la regalo   que, cuando la mires, recuerdes que ningún hombre rico tiene qu   iejar tus tiempos o tu vida". Yo convivía con una de las personas más ricas de Argentina y Federico tuvo el gesto de protegerme.

ANA GALLARDO *artista*

Lo conocí alrededor del 84 cuando trabajaba en una galería y empezaba a definir que quería ser artista. Para mí, Federico era todo: admiraba hasta el aire que lo rodeaba. Yo vivía en San Telmo y él me llamaba muy temprano, a eso de las cinco, y me preguntaba si podía venir a dormir a mi casa. Llegaba al rato y se acostaba una hora en el sillón. Cuando se despertaba, tomábamos café y charlábamos. Un día me dijo: "Te quiero regalar una obra para agradecerte este espacio de sueño; uno solo puede dormir donde se relaja y se siente protegido, y yo acá me siento así: este es mi espacio de sueño". Entonces se sacó los calcetines y me dijo: "Te regalo esta obra".

PABLO BIRGER

Les compré a Presas y a Raúl Russo el taller que tenían en Santa Fe y Cerrito y al que Federico iba de vez en cuando después de pasar por SEPRA [Sánchez Elía, Peralta Ramos & Agostini], el estudio del padre. Como el lugar le era familiar, cuando me instalé ahí tocaba el timbre y me preguntaba si podía subir un rato a dormir la siesta. Un día me pidió una tablita y escribió una frase con un marcador: "Serás lo que te tocó ser y dejate de joder". Eso habrá sido entre el 78 y el 80.

PEPE CÁCERES

Yo lo recibía aunque estuviera dando clases y mis alumnas se habían acostumbrado: en un principio lo miraban de reojo y al poco tiempo se divertían porque sabían que era inofensivo. Después de almorzar se tiraba a dormir en el piso y roncaba como una locomotora.

PABLO BIRGER

Creo que era bastante siestero.

JULIÁN MIZRAHI

De casualidad me encontré, en un estudio fotográfico, con unos retratos de Federico en bolas intervenidos por él. Los hizo un tipo que retrataba a famosos del momento. Aparentemente Federico iba mucho al estudio e incluso dormía la siesta en el sillón. Los quise comprar y el fotógrafo me pidió un delirio de guita por cada uno. Pasó el tiempo y pensé: "Bueno, voy y compro". Cuando llegué, ya los había vendido.

SILVIO FABRYKANT *fotógrafo*

Fogwill lo trajo a mi estudio y, a partir de entonces, tocaba el timbre y aparecía. Si yo no estaba, se tiraba a hacer una siesta en el sillón; si yo estaba, se ponía a hablar. Para él, este lugar era como un oasis: así me lo decía. Una vez me propuso que lo retratara: "¿Por qué no me hacés una foto vestido con este traje?". Él tenía esa cara, no sé cómo expresarlo... hay una cara argentina, un rostro masculino de prócer. Sé que no son iguales, pero Gardel, Perón y Federico tienen una cara maciza y sólida que impone presencia. Se me ocurrió decirle: "Sos Federico Manuel Peralta Ramos, presidente" y fotografiarlo así.

LUIS TINO

Empecé a coleccionar algunas poesías de Federico. Hay mucha gente que colecciona cosas de él. A un coleccionista le hice comprar una foto suya en bolas cuyos paños menores él mismo intervino con pintura.

Retrato tomado por Silvio Fabrykant en 1988 en su estudio de la calle Juncal e intervenido por el propio Federico, que borró con un grafito sus partes íntimas y le dijo al fotógrafo: "Silvio, los ángeles no tienen sexo" (archivo Raúl Naón).

Otro retrato tomado por Silvio Fabrykant en su estudio a fines de los 80; en este caso y a instancias suyas, el artista posó como si fuera el Presidente de la Nación (archivo Raúl Naón).

SILVIO FABRYKANT

Otra vez llegó al estudio y me dijo: "Haceme unas fotos". Eso fue en el 88, lo recuerdo muy bien. "Sacate la ropa", le dije. En aquella época yo venía haciendo fotos de chicas y usaba mucho esa frase: son cosas que uno dice para aflojar. Apareció desnudo en la sala de tomas. Tiré dos rollos de 6x6, de modo que hice veinticuatro tomas. Al principio le propuse que se tapara con un ramo de uvas artificiales y después posó con todo al aire, tal como Dios lo creó, haciendo "el cuatro". Al cabo de unos días le mostré, ampliada, una de las fotos de la serie. Convenimos que lo mejor era tapar el pubis, así que agarró un pincel y lo borroneó. Es una obra interesante que surgió informalmente. Hace un tiempo, todo el material que tenía referido a Federico Manuel lo compró un coleccionista.

RAÚL NAÓN *coleccionista*

¡Me enamoré de un tipo al que no conocí! En su momento me pasó algo parecido con archivos y obras del CAyC, el perceptismo, el movimiento madí o arte concreto, a los que llegué de forma casi detectivesca. Hoy debo ser junto a Pedro Roth una de las personas que más obra tiene de Peralta Ramos, entre cuadros, poemas, fotos y toda una serie de memorabilia. Mi papá murió cuando yo era muy chico, de modo que soy nostálgico y me gusta mucho meterme a investigar. Con estas cosas me compenetro, es casi una obsesión. Lo hago porque me interesa recrear una época, un momento.

MARIO SALCEDO

Una vez vino a casa a comer. Empezamos a hablar de su vieja y se largó a llorar desgarradamente como un chico, con la cabeza apoyada entre las manos. Mi mujer Lilí y yo no lo podíamos creer, nunca lo habíamos visto llorar.

RAÚL NAÓN

A Silvio Fabrykant le compré el poema "Lejos" en versión manuscrita

–creo que es la única que hay–, la foto posando como presidente y el desnudo intervenido por el propio artista. Al verse así en su retrato, Peralta Ramos le dijo al fotógrafo: "Silvio, los ángeles no tienen sexo" y borró su pubis con un grafito.

BEATRIZ CHOMNALEZ
Aunque hizo cosas geniales de las que nadie se olvidó, pienso que sufría.

LAURA BUCCELLATO
Aparecía el hombrón con esa voz y esa presencia imponentes, pero en el fondo se trataba de un alma frágil y sensible.

RAÚL SANTANA *carpintero, poeta y crítico de arte*
Sufrió mucho.

PEDRO ROTH
Tuvo un cuadro de hipertensión y lo internaron en el CEMIC. Fuimos a visitarlo con Juliano Borobio y Pier y nos echaron porque empezamos a joder.

OSVALDO CENTOIRA
En sus últimos años no se cuidaba. Lo visité en el CEMIC, donde estuvo internado, y hacía cada despelote con las enfermeras…

PEDRO ROTH
Había gente agonizando alrededor de él y Federico decía: "Me siento fantástico, no me quiero ir porque acá estoy más cerca de Dios". Eso pasó dos meses antes de morir, en junio de 1992. Había logrado adelgazar bastante gracias al médico Alejo Florín; "mi cuerpo es mi obra de arte", contaba, y así creó la obra *AdelgazArte*.

JULIÁN MIZRAHI
Me han llegado a contar que en su casa le ponían un candado a la heladera

para que no la vaciara de un saque: no sé sabe qué historias sobre Federico son verdaderas y cuáles no.

PEDRO ROTH
Rápidamente empezó a comer de nuevo. Un día fue con Pier a Las Violetas. Se mandó tres docenas de medialunas y le dijo: "No puedo seguir". No tenía ganas de vivir, se suicidó comiendo. No sabía ser otra cosa más que hijo. Murieron sus padres y al poco tiempo murió él. Era como un niño gigante en la época de los porqué. Fantástico y repetitivo, te hacía pensar muchísimo con sus preguntas.

GUILLERMO FERNANDO AQUINO
Se murió de tristeza. No aguantó la muerte de sus viejos.

SEBASTIÁN PERALTA RAMOS
Cuando Fede murió, Diego me pidió que diera una vuelta por el barrio para ver si había dejado deudas chicas. Elías, el diariero del Alvear, me dijo que no debía nada y me contó que el día antes de su muerte, Fede le dijo: "Hoy estoy transgresor, me comí catorce alfajores".

CARLOS M. MIGUENS *arquitecto, polista y agropecuario*
Poco antes de que muriera comí con él y con una anciana de pelo blanco a la que me presentó como Doña María en un bar de Rodríguez Peña y Libertador. Solo un desaprensivo como yo pudo no haber captado entonces su último mensaje cuando, al despedirse, me dijo: "Magnífico, se me acabó el repertorio".

SEBASTIÁN PERALTA RAMOS
Se murió del corazón, pero… si vos querés morirte, te morís. A veces me decía: "Yo estoy muy mal y nadie se da cuenta".

CANDI SÁENZ VALIENTE *música y escritora*
Estábamos con tres amigas del colegio en el casamiento de Luisa

Achával, la mujer que nos servía el almuerzo durante la semana. Tendríamos doce años. Casa en Olivos con jardín y piletita; las cuatro con vestidos de puntilla. Todos los invitados se sentaron a comer cazuelas excepto nosotras, que por supuesto no estábamos alocadas en ninguna mesa. Las cazuelas eran de pollo con arroz, una comida bastante parecida a la que nos servían cada mediodía. Nos quedamos paradas, solas en medio del jardín, cuando de pronto se acerca un hombre alto, con panza, y se presenta: "¿Qué tal? Soy Federico Peralta Ramos". Nosotras también nos presentamos: Candi, Pochi, Puchi, Pati. "Las cazuelas se comen de parado", dice, cuando al fin recibimos el plato. Estuvimos de acuerdo –era exactamente el tipo de razonar que manejábamos– y de inmediato supimos que este no era un "señor" sino una más de nosotras en el cuerpo de un señor. Después seguimos hablando de otras cosas un buen tiempo, casi el resto de la fiesta. En su momento me dio la sensación de que esa frase validaba nuestro estar ahí sin pertenecer. Nos convertía en un happening, nos transformaba en arte... Éramos de pronto una performance. Me quedó muy grabado él, su nombre y la frase "Las cazuelas se comen de parado". Es raro que a esa edad una se acuerde para siempre del nombre de una persona adulta que ve una sola vez, pero él fue memorable por su espacio interior sin bordes. Era una de esas pocas personas que son infinitas.

BLAS PERALTA RAMOS

En General Madariaga mi viejo estaba comprando un campo y esperaba al comisionista. Cuando el tipo llegó –era un cajetilla–, se presentó diciendo: "Blanco, de Madariaga". Federico lo saludó y le dijo: "Federico, de Buenos Aires".

PACHI FIRPO *arquitecto*

Lo conozco desde la primaria, cuando íbamos al Newman. Era rubio con rulitos y fuerte como un oso, pero nunca se peleaba.

LUISA MIGUENS *arquitecta y escritora*
De chico era como un querubín de Rubens.

BOBBY FLORES
Federico y Mario Salcedo –el dueño de Barbudos, el barcito de la Galería del Este donde me formé intelectualmente– caminaban juntos por las veredas angostas del centro, ocupando entera la de la calle Maipú. De pronto un taxi casi los roza y lo putearon diciéndole una cosa típica de ellos, algo como "muera príncipe en manos de la doncella más puta que cruce la próxima esquina". El auto frenó en el semáforo, el taxista se bajó y los fue a encarar. Entonces Federico levantó el índice: "Te voy avisando, amigo, que yo soy muy cagón".

MARIO SALCEDO
Un día salimos de Barbudos camino al Florida Garden. Se cruzó un taxi que casi nos pisa y yo le pegué una patada a la puerta. Se bajó el tachero y era inmenso. El Gordo le dijo: "Le anticipo que soy muy cagón". El tipo se mató de risa y pegó la vuelta.

BOBBY FLORES
Federico estaba todo el tiempo en el Barbudos y hubo una época en que tomaba sopa de tomate porque él, que estaba del tomate, quería alimentar su psiquis con más tomate… ¡chamanismo de porteño alunado!

NICOLÁS BACAL *artista*
No lo conocí personalmente, pero conviví con una de sus frases en la casa de mi familia durante la infancia: "My life is my best work of art". A esa caligrafía sobre tela le fui sumando anécdotas y mitos: el arte como reverberación de la personalidad. A los 18 años fui a la retrospectiva que el MAMBA le dedicó en 2003. Viendo su trabajo entendí que hay dos tipos de obras: las que te dan ganas de producir y las que no. Esta era de las primeras. Me volví fan de su libertad contagiosa. Es

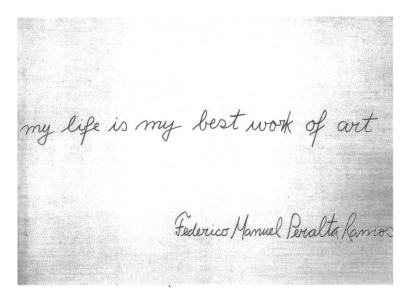

Reproducción de una de las célebres frases del artista.

importante permitirse ser fan, ponerse en esa situación algo incondicional y ridícula. Siempre lo consideré como un vidente o un chamán. Solo son videntes aquellos que se permiten ser libres. Cuando el artista-vidente ve, a todos nos cambia la mirada. Por eso, desde entonces no puedo evitar pensar los ministerios como misterios y los recuerdos como locuras.

MARIO SALCEDO
La expresión "estar del tomate" surgió en Barbudos con el Gordo, que consideraba que el tomate era lo mejor de la tierra. Para el almuerzo yo se lo cortaba al medio y lo condimentaba con ajo. Si se quedaba con hambre, lo combinaba con seis huevos duros o con otro tomate. Y ahí empezó la expresión "el Gordo está del tomate".

LUIS TINO

Entre 1982 y 1998 tuve un local de obras de arte en la calle Arroyo. A Federico lo conocía del Garden y en un momento me empezó a visitar en el negocio. El gancho era "Luis, ¿vamos a tomar un café?". Pasábamos por Cancillería, cruzábamos la plaza y aterrizábamos en el Garden. Le preguntaba qué tomaba y él: "Mejor vayamos a la barra del fondo, que está Carlitos". Carlos era... ¿cómo explicarlo? Lo pusieron en la barra y después construyeron el bar, je je je. "Dejame pedir a mí", decía. Entonces: "Carlitos, haceme un lomito al plato, un pan negro tostado, un tomate al medio y un agua". Automáticamente luego de pedir se daba vuelta y me agradecía: "Luis, hoy corro con tus colores".

CARLOS ÁLVAREZ INSÚA

En sus últimos años solo tomaba té y tomate. "Pepe, dos tomates bien grandes y jugosos y una taza de té", le decía al mozo de La Rambla.

PEPE CÁCERES

Tenía un sistema organizado para vagar por la ciudad, relacionado en general con el morfi porque andaba siempre con la moneda justa: del Florida al taller mecánico a comer asado. Nos veíamos siempre en lo de Carlitos: Montevideo y Bartolomé Mitre. En ese boliche de marginales y borrachos que albergó a los primeros travas de la ciudad había un retrato de Federico enorme, a color. Lo tenían entronizado. Se transformó en un lugar de encuentro de algunas personas; por ejemplo el crítico Hugo Monzón, Andralis –que lo cuidaba mucho, como Pedro Roth–, él y yo. Carlitos era un personaje muy interesante. Le daba de comer gratis y en algún momento dado le cobraba. Federico siempre pagaba sus deudas; tenía esa cosa paqueta de caballero muy bien educado. Cuando andaba con plata y estábamos en una mesa tomando café decía: "No te preocupes, hoy corrés con mis colores".

MECO CASTILLA

Íbamos al mismo colegio y si bien soy un par de años más chico que él, recuerdo que se moría por jugar al rugby. Iba a los entrenamientos aunque no lo pusieran nunca. En el gimnasio, cuando se desnudaba para cambiarse, tenía el cuerpo todo pintado de colores como una mariposa. Para un ambiente conservador como el del Newman, eso era algo muy dislocante. Tenía rachas de obsesiones. En esa época estaba pintando el famoso cuadro que pesaba una tonelada y que después serruchó porque no entraba por la puerta de la galería Witcomb.

CARLOS ÁLVAREZ INSÚA
Me contó diez veces cuando decidió cortar los cuadros que no entraban por la puerta de la Witcomb. Se serruchan por la mitad y se cuelgan, ¿cuál es el problema? Entendió que el arte es el anticipo conceptual que habilita su desmaterialización, ese es un legado radical de Federico.

SANTIAGO VILLANUEVA
Fundamental para leer los 60, en la historia del arte de nuestro país Peralta Ramos fue medio bastardeado; en rigor, es un caso aparte. Su lectura y su acercamiento al conceptualismo no los hizo nadie antes y además no necesitó realizar muchas obras para tener precisión, sino que con pocos gestos logró un altísimo nivel de claridad. El personaje –en cierta forma un patético, un hazmerreír– lo aplacó y eso evitó que se lo estudiara más profundamente. A mi generación le resulta más fácil leerlo e interpretarlo porque no lo conoció.

FERNANDO PUGLIESE *escultor, abogado y guionista*
Nacimos en el 39 y nos conocimos a los 14 años. Éramos una barrita de la misma edad que andaba siempre por el área de La Biela, que en esa época apenas tenía una vereda donde cabía una mesa y era bien de barrio. Todos boxeábamos en lo de Trías: Tezanos Pinto, González Calderón, Bartolo Mitre, Fonrouge… En esa ensalada rusa estaba este chico muy simpático que siempre hacía alguna gracia. Sus narraciones eran impagables y a cada rato sacaba conclusiones. Un día apareció con unos mocasines cosidos a mano ¡y pintados por él con pinturita!

Parecían hechos por Van Gogh, de avanzada y pintorescos. Le pregunté por los zapatos y me dijo: "El arte empieza por los pies y termina por la cabeza". Los bautizamos "los zapatos de Van Gogh".

PACHI FIRPO

Estudiamos juntos Arquitectura. En un examen sobre los materiales de la construcción le preguntaron las medidas del ladrillo y contestó, moviendo las manos en el aire: "El ladrillo mide así, por así... no, así no... así, por así, por así". Le preguntaron por las medidas del ladrillo hueco y él: "Tiene un agujero así acá, otro agujero así acá, y mide así, por así, por así". Entonces el profesor le dijo: "Mire, Peralta Ramos, usted tiene un cero así, por así". Siempre fue un contestatario. No terminó la carrera, le quedaban cuatro materias. No pudo con las derivadas integrales.

CARLOS ÁLVAREZ INSÚA

Estaba espléndido hasta que murió el viejo y eso implicó la imposibilidad de vivir sin la filiación, sin el *sponsor*. Según Luis González Balcarce, que conocía bien a los hermanos porque eran primos, Diego pasaba por los bares en los que consumía Federico para pagar sus deudas, lo que significaba un logro imbatible porque le quitaba al propio Federico el compromiso de rendir cuentas ante el padre. Con la madre tenía una relación muy amorosa. Recuerdo sus cuadros. Adela era una continua pintora.

PEDRO ROTH

La frase maravillosa de Adela: "Yo, en sueños, hice de todo". Estudió con Héctor Basaldúa. Pintó varios retratos de Federico.

CARLOS ÁLVAREZ INSÚA

La madre tenía esa cosa de señora paqueta con alguna influencia del expresionismo, pero también *naïve*, lo que la aflojaba: pintaba postales argentinas rurales –cielos azules con estrellas, por ejemplo–, pero angustiadas y nocturnas. Algo del *rush* de Federico viene de ahí, mezclado con "mi viejo le puso la pija a Buenos Aires con el Sheraton". Con la construcción de ese hotel, Federico consideraba que SEPRA había erigido el primer monumento fálico porteño. Estaba orgulloso de eso.

SEBASTIÁN PERALTA RAMOS
Mi vieja era muy buena pintora, pero jamás tuvo el coraje de hacer una exposición. Recuerdo que en el campo la llevaba en camioneta hasta la laguna, la dejaba ahí con su atril y me decía: "Volvé a buscarme en dos horas".

ASTRID DE RIDDER
En la mesa de su casa dijo una vez que Agostini dibujaba, Sánchez Elía hacía las relaciones públicas y que su padre se ocupaba de la parte comercial de SEPRA. Eso escandalizó a su progenitor.

CARLOS ÁLVAREZ INSÚA
La filiación paterna ofrecía "brutos fálicos" y la rama de la madre, su conexión con la espiritualidad y el arte. El problema de la filiación en Federico es central en el sentido de que ni siquiera en la intimidad dejaba de preguntarte si él o Marie-Louise Bemberg podían salvar a la clase alta argentina de su decadencia atroz y reinstalar a los padres de la patria en esta escena.

GUILLERMO FERNANDO AQUINO
Adela era muy genial. En un almuerzo en la casa se quedó de pronto colgada, mirando el techo, y dijo: "Las mujeres se casan con el rey, pero les gusta el que limpia".

CARLOS ÁLVAREZ INSÚA
Federico no dejaba de tener la mirada de los padres de la patria, pero no de manera reaccionaria ni en tono traidor. Otro tema que le interesaba era la composición societaria del estudio de su padre. Decía: "Sánchez es el más fino de Argentina, papá tiene la fuerza y Agostini es el que sabe". Tenía un gran amor por SEPRA. Bailaba mucho entre

Eros y Tánatos y yo conviví con él en un momento en el que Eros estaba más presente: se cuidaba de la diabetes, adelgazaba... Cuando lo conocí, era diabético.

ROSARIO ZORRAQUÍN *artista y sobrina*
Le dije a Federico que quería ser reina y artista, y él le dijo a mi mamá: "Ha llegado la hora de que le compres una corona a esta chica". La corona la terminó comprando él y además llamó a un fotógrafo amigo para que me hiciera las fotos. Le dije que no me había copado lo de ser reina porque me pinchaba la cabeza. Entonces siguió con lo de artista y expuso en la Librería Sarmiento, en 1989, unos dibujos que yo había hecho con unos marcadores re lindos que él me había prestado. Como niña fue muy increíble entender que se podían cumplir los deseos, que no tenía que esperar a ser grande, sino comprar una corona, llamar a un fotógrafo, colgar los dibujos en un lugar fuera de casa y convocar a gente. Él entendía perfecto cómo se cumplen los deseos.

PEDRO ROTH
Su mayor interés en la vida pasaba por impresionar a Pier Cantamessa, que era doctor en Física y Matemáticas, además de violonchelista, compositor y pintor. Federico, al que le quedaban siete materias para recibirse de arquitecto y decía "me copié en la primaria, me copié en la secundaria y me copié en la universidad", lo contrató a Pier, que era lo más inestable del mundo, para que le diera clases de estabilidad. Una tarde llegó a su casa y Federico, para impresionarlo, estaba en la cama tapado hasta la cabeza, pero vestido con traje azul, corbata y zapatos. Como Pier no se inmutó, le preguntó: "Decime, ¿alguna vez te impresioné?". Y Pier le contestó: "Cuando caminábamos por Viamonte, fuiste a un kiosco, compraste tres paquetes de pastillas de menta y te los metiste todos en la boca".

GABRIEL LEVINAS
Pier Cantamessa le pregunta a Federico: "¿En qué pensás cuando te

Esta imagen de 1989 muestra a la artista Rosario Zorraquín posando junto a su tío Federico Manuel y vestida de reina por sugerencia de él.

hacés la paja?". Federico contesta: "En un entrecruzamiento de tetas, conchas y culos". Pier decreta: "Vos sos un pobre tipo". Federico: "¿Por qué?". Pier: "Cuando me hago la paja, yo pienso en la paja". La creatividad tiene que ver con eso: el artista es un tipo que encuentra, no un tipo que busca.

ARTURO CARRERA *poeta*
Le preguntaron cómo se hacía la paja –un tema que le interesaba mucho– y contestó: "Con las uñas pintadas".

RAÚL SANTANA
Tenía obsesiones que le duraban uno o dos meses. En un momento fue la paja, entonces preguntaba mucho por ese tema. "Soy un pajero viejo", decía, "y la paja me la hago todos los días, después del almuerzo, en el baño, parado frente al inodoro".

MARIO SALCEDO
Un día le preguntaron qué pensaba del sida y contestó que había que masturbarse hasta que aclarara.

RAÚL SANTANA
Estábamos en el Florida Garden y seguía cayendo gente. Apareció Pier Cantamessa –su hermano elegido de la vida– y le preguntó en qué pensaba cuando se hacía la paja. Federico contestó: "En un entrecruzamiento de conchas, tetas y culos". Y dobló la apuesta: "Vos no sos un pajero viejo". Pier retrucó: "Vos sos un pobre tipo; yo, cuando me hago la paja, pienso en la paja... eso es ser un pajero viejo". Por mi parte, yo les conté que, cuando éramos chicos, nos sentábamos encima de la mano hábil y nos pajeábamos justo después, para que pareciera de otro. La charla se ponía cada vez más disparatada. Pier agregó algo extraordinario: "Hacerse la paja con la mano dormida es muy expresionista; estamos en épocas conceptuales, así que ahora, para hacerse la paja, hay que pintarse las uñas".

LUIS TINO

Una vez le pintó un cuadro a Pedro Roth y, como no entraba en ningún lado, se lo puso en la cabeza y se lo llevó caminando a la casa. Es el que dice "Qué lindo es estar en la cama mirando TV".

LAURA RIVERO

Cuando lo visitaba, él no salía de la cama. Me decía: "Viniste al mausoleo".

CARLOS ÁLVAREZ INSÚA

Por alguna u otra razón empecé a ir mucho a su casa. Vivía en un lindísimo cuarto que daba a la cocina de manera directa, pero no pertenecía al área del servicio doméstico. Tenía una espléndida cama de una plaza, como un niño. Charlábamos así: yo en un sillón y él acostado en la cama sin sacarse los zapatos negros, de Sacks, con hebilla al costado y muy lustrados. Era tremendamente pulcro y le gustaba que los zapatos estuvieran nuevitos (tenía algo de colegial con su carácter infantil absolutamente enternecedor). La camisa blanca con monograma: FMPR.

SERGIO AISENSTEIN

Recuerdo haber ido a su casa: la habitación era enorme y tenía una cama de bronce en el medio, junto a una mesita con un teléfono negro, antiguo.

PEDRO ROTH

En su cuarto monacal había una cama de una plaza, el cuadro de Deira que compró con la beca Guggenheim, el retrato patafísico que le hizo Presas, el retrato que hizo Pier y el retrato que le hizo la mamá.

NANÁ GALLARDO DE POLESELLO *art dealer y artista visual*

La mamá le compraba la ropa, le elegía los zapatos y las camisas con las iniciales bordadas; algunas cosas se las hacía traer de Londres.

CARLOS ÁLVAREZ INSÚA

Aún vivía la *nanny* familiar, una mujer chiquitita de pelo blanco cuyo nombre no recuerdo. Como Federico estaba siempre combatiendo su diabetes, ella le llenaba diez o doce potes de Mendicrim con té helado y se los dejaba en la heladera, que abríamos apenas llegábamos. Era totalmente excesivo: tomaba varios potes de un tirón y guardaba dos para la mesa de luz.

MARTA MINUJÍN
En la casa había una heladera que el padre cerraba con llave porque Federico se comía todo.

MARIO SALCEDO
Jujo Solsona me contó que en un examen le pidió a Federico que le hable de Wright y el Gordo le contestó: "De Wright no le voy a hablar porque era muy mala persona".

JUSTO SOLSONA *arquitecto*
Lo recuerdo con bombachas y alpargatas, tomando un café en la barra del Florida, siempre con una opinión crítica respecto de la arquitectura contemporánea. Ese tema, por el estudio del padre, no debe haberle resultado fácil.

JULIÁN MIZRAHI
Me contaron que en la universidad lo hicieron pasar al frente y le preguntaron algo que no supo responder. Entonces empezó a dibujar puntitos en el pizarrón, luego en la pared, luego salió del aula y siguió en el piso, y luego salió del edificio y siguió haciéndolos en la calle.

JORGE BLOSTEIN *arquitecto*
Allá por 1967 cursábamos Matemáticas en la Facultad de Arquitectura. La dictaba el Ingeniero Otonello, quien nos había dicho que una recta era una sucesión de puntos sin principio ni fin. Le pidió a Federico que pasara al frente y trazara una. Federico tomó la tiza y comenzó a trazarla; cuando llegó al final del pizarrón, continuó en la pared; al llegar a la pared lateral, siguió sobre esa; cuando llegó a la pared del fondo,

siguió. En ella se encontraba la puerta de acceso al aula. La atravesó. Siempre tiza en mano, continuó por el hall de la facultad, adonde daba el aula, y continuó fuera, en Figueroa Alcorta.

PABLO SÁNCHEZ ELÍA *arquitecto*
Coincidimos en SEPRA durante un año. Federico era muy querido y tenía cero concentración: iba de tablero en tablero contando anécdotas y sacando temas. Una vez que nos tocó dibujar baños –de pronto en el estudio te encargaban dibujar, a lo largo de un año, algo específico– se llevó el tablero de dibujo al baño y trabajaba ahí: decía que era el lugar ideal para dibujar baños e incentivar la imaginación.

JUSTO SOLSONA
Sé más de sus cuentos por los mozos del Florida que por mis conversaciones con él, en general parcas o cortas. En la facultad fui ayudante en la materia de Arquitectura y lo tuve como alumno. No me olvido nunca de una anécdota. Dábamos un ejercicio que consistía en reformar un enorme departamento. Los alumnos subían al estrado y explicaban sus proyectos. Cuando le llegó el turno a Peralta Ramos, había demolido todas las paredes y con los escombros había levantado el piso como un metro y diseñado unas socavaciones para sentarse que se caían por el peso de la estructura. Le criticamos el disparate y se defendió. Ese era él: traía una propuesta que, si bien no tenía nada que ver con lo pedido, implicaba un acto de genialidad y de protesta. Debía ser su casa ideal, un lugar inmenso sin nada y con asientos hundidos sobre una plataforma. Él formaba un grupo de dos o tres alumnos que iban a la facultad con sombrero, se sentaban y abrían el diario: unos protestadores. Era muy querido y respetado.

DALILA PUZZOVIO *artista*
Federico fue uno de los pocos, realmente. "Psicodiferentes", se reconocían con Charlie Squirru. Se lo extraña entre tanta emulación autoproclamada de originalidad y genialidad.

LAURA BUCCELLATO

Se deslizaba sigilosamente, pero no por fóbico, como Marta: le encantaba irse "para allá". Curioso, se metía a husmear por todos lados sin hacer juicios de valor sobre la gente. Era una performance permanente.

MARIO SALCEDO

Cero egoísta, buen tipo y surrealista, pero con grandes gestos. Lo retabas y se quedaba calladito. Jamás discutía. Era un ser especial. En una mesa todos hablaban cuando de pronto él decía: "Me voy" y antes de irse tiraba una parrafada a modo de conclusión de lo que había escuchado. La obra era él. Él era la obra.

DALILA PUZZOVIO

Nos dedicó a Charlie y a mí un poema muy emocionante, pero no recuerdo quién lo compró.

IGNACIO MOORE *comprador de arte*

Tendría 25 años cuando entré en Roldán por un remate y "pum", me choqué con "Todavía insisto", el poema que Federico les dedicó a Charlie y a Dalila. Me impactó y decidí comprarlo, entre otras cosas, por el título, que me representa. Mi viejo es poeta y la poesía me pega fuerte desde chico. El texto –cuyo subtítulo es "Oración bandera" y tiene un encabezado que reza "Algoazul", todo junto– empieza así: "Después vinieron los otros días/ fue cuando quise estar tranquilo/ ellos, ya no me molestaban/ el primer paso bandera ya estaba dado". Hoy en día, esa obra es como un talismán para mí.

ANA MARÍA BATTISTOZZI *crítica de arte, curadora y gestora cultural*

Aterrado antes de salir a escena en una de sus primeras exhibiciones, programada en la galería Neon de Bologna en 1989, Maurizio Cattelan partió dejando el espacio vacío con un cartel que decía: "*Torno subito*" ("Vuelvo enseguida"). Federico Manuel podría haberle respondido con otro de los suyos, de 1984: "Al que arruga Dios no lo ayuda". En consonancia con ese espíritu, en 1972 había enviado al Salón Nacional un enorme cartel que prefiguraba en sentido contrario el gesto del artista italiano: "Yo voy a venir de visita". Por suerte, al esperado rechazo le sucedió una invitación que le permitió desplegar su cartel de varios metros en una divertida muestra en el CAyC, lugar de vanguardia que por esos años había tomado la posta del Di Tella.

OSVALDO CENTOIRA
Otra frase que recopilé de él: "Los burgueses tienen un *plafond* bajo, confunden talento con locura; no se les ocurre que soy un tipo psicodiferente".

ANA MARÍA BATTISTOZZI
Los carteles-poemas de FMPR son un capítulo esencial de su obra no solo porque se inscriben de modo original en la atracción duchampiana por los juegos fonéticos y las distorsiones de sentido –"Rrose Sélavy", "Misterio de Economía", "Fresh Widow"–, sino también porque apuntan reflexiones sobre lo real que, a la luz del acontecer, exhiben una capacidad anticipatoria sorprendente. Otros carteles suyos que me gustan: "Prefiero ser acusado de injusto antes que vender ilusión democrática" (1988); y "Se acabó la época de Miss Universo, ahora viene la época de Univerdad, DIVÚLGUELO" (1988).

FERNANDO PUGLIESE
Me preguntó si me animaba a fabricar un huevo gigante que se iba a llamar *Nosotros afuera* y que se expondría en el Di Tella. Le dije que no porque era un quilombo. Cuando se le ponía algo en la cabeza era muy insistente, de modo que consiguió que unos yeseros de SEPRA hicieran un entelado metálico y lo recubrieran con yeso. Al verlo la gente decía: "¿Qué es?" y aun así ganó el premio del Instituto.

LUIS WELLS *artista*

En 1965 tuve la desgracia de participar del Premio Di Tella con Peralta Ramos. Nos adjudicaron la misma sala. Yo presenté un techo escultórico que me costó muchísimo esfuerzo. Por su parte, él intentó hacer tres o cuatro veces el huevo y, como no le salía, vino el padre con una cuadrilla y se lo fabricaron. La sala estuvo dos semanas cerrada, entonces mi obra no se podía ver por ese maldito huevo, de modo que no tengo muy buenos recuerdos de Peralta Ramos. Incluso Manucho [Mujica Lainez] escribió sobre eso en *La Nación*. Nunca fui un tipo de dinero. Trabajaba en una agencia de publicidad y armé el techo con el sudor de mi frente, al revés de él, que lo hizo con la ayuda del padre, que era arquitecto. Me pareció sumamente injusto.

FERNANDO PUGLIESE

Cuando terminó la muestra, Federico agarró una masa y rompió el huevo en pedazos. Fue espectacular. Él, de hecho, hacía espectáculos. Era una gran persona, sin maldad y con mucha ironía, una ironía referida al arte y a los valores sociales, que están todos armados. De alguna manera u otra de chico te meten el casete. A él se lo quisieron meter y tuvo la virtud de evitarlo y hacer la suya: es más, tenía casete propio.

LUIS WELLS

Siempre creí que era un cajetilla. No laburó porque lo mantuvieron. Se pasaba los días sentado en bares escribiendo sus cosas. Cualquier persona en esa situación podría escribir frases ingeniosas. Ojo, no era un boludo sino que me parecía bastante inteligente. Algunas de las frases son, incluso, muy buenas. Peralta Ramos fascinaba mucho a la gente porque estaba en el programa de Tato Bores, donde hacía sus pavadas. Todo el mundo lo encontraba genial, y quizá lo fuera. En cuanto a la obra, está el desafortunado huevo y los cuadros pesados a los que se les caía la pintura. A mí me parecía una exageración.

TIZIANA PIERRI *artista*

Nosotros afuera es la obra de arte más generosa hecha acá, en la tierra. Lo que encierra ese huevo gigante nos deja a nosotros afuera, pensando en un limbo hipernutritivo. Colesterol del bueno. Toda obra de arte debe dejarnos en *offside* para conectar con nuestras propias ideas acerca de lo que vemos y entonces transformar la realidad que nos rodea. Ese huevo puede alimentar a generaciones tras generaciones con nuevas y sustanciosas ideas. El misterio es la yema y el humor, la clara: lo poético esta en la cáscara. Creo que esa obra debería ser enviada al espacio exterior, atravesar la atmósfera y orbitar alrededor de nuestro planeta como un satélite que guarda el misterio, el humor y lo poético que quizá escaseen de acá a quién sabe cuántos millones de años.

KENNETH KEMBLE *artista y crítico* [extracto de un artículo publicado en *Buenos Aires Herald*]

La desesperación y la consternación se leían en el rostro de los organizadores de la muestra, que no veían, por nada del mundo, cómo iba a hacer Peralta Ramos para terminar su obra maestra a tiempo para la inauguración; en tanto que otros artistas, cuyas obras también serían afectadas por ese aparente fracaso, observaban con animosidad. Pero el creador del huevo más grande del mundo seguía trabajando con ostensible indiferencia. Para aquellos cuya imaginación va un poco más lejos del simple comentario "es un huevo", el resultado está cargado de posibilidades. ¿Qué hay dentro? ¿Qué monstruo fabuloso, desconocido por el hombre, romperá finalmente el cascarón y se abalanzará sobre nosotros causando estragos en nuestro a veces seguro pequeño mundo?

BLANCA ISABEL ÁLVAREZ DE TOLEDO *pintora y fotógrafa*

Con Nicolás García Uriburu, mi primer marido, teníamos admiración por el huevo: algo neto y sin articulaciones que representaba la fertilidad… como una promesa. Nos interesaba también el "a mí me gusta acá" porque éramos muy nacionalistas y teníamos, al revés de hoy, mucha esperanza en el país. En la compra del toro había también algo nacionalista, pero no en el sentido malo sino en el del amor a su patria.

SERGIO AISENSTEIN
A veces íbamos a un restaurante en Montevideo al 100 en el que había un retrato suyo colgando de la pared y donde lo recibían como a una estrella. Me decía: "¡Comé tranquilo!" porque ahí no le cobraban.

SEBASTIÁN PERALTA RAMOS
Me trataba de usted: "¿Por qué no viene a comer a Carlitos?". Una vez llegué a esa pizzería diminuta en Montevideo y Rivadavia y Fede estaba comiendo con el dueño; encima de ellos, sobre la pared, había un retrato de mi hermano que estaba torcido. Era toda una ironía (él manejaba mucho la ironía, lo hacía para blindarse). Les comenté algo respecto de la foto torcida y se mataron de risa. ¡Lo hacían a propósito!

RICHARD STURGEON *artista*
Me invitó a almorzar a Carlitos, donde tenía cuenta. Se acercó a la mesa un individuo que se decía poeta. Fede no se acordaba bien del tipo, que le nombraba lugares y personas de manera insistente. Llegaron los bifes y pensé: "Pobre tipo, no le va a dar más bola". El hombre le pidió el teléfono y cuando se lo estaba por dar de muy mala gana, el poeta salió a pedir una birome. Buscó por todo el salón y volvió: "Federico, nadie tiene birome". Entonces, ya harto, él le contestó: "Entonces no hay que verse". Largué todo lo que tenía en la boca y no paramos de reírnos por horas.

SEBASTIÁN PERALTA RAMOS
Si bien estaba desconectado de cierta realidad, era mucho más inteligente que todos nosotros. En este mundo no hay lugar para los sensibles como él. Sobre todo en Argentina, que no quiere raíces. En

este país a nadie le gusta lo viejo. Por eso resulta difícil ser un adelantado. Analicemos el contexto: tatarabuelo fundador de Mar del Plata, abuelo médico, padre arquitecto, no había una moneda y fueron haciendo todo de a poco. Entonces llega un tipo y saca los pies del plato… en una sociedad así, hace cincuenta años, le tiran a matar. Mis viejos lo querían muchísimo, pero les costaba aceptarlo. Hijo mayor, mismo nombre que el padre, rubio y de ojos celestes: ¡todo a favor! Esto es Argentina… tenés que andar despacito, con el volumen bajo y por la sombra. Llegaba acá, a La Rambla, y cuando los mozos lo saludaban diciéndole "¿qué hacés, campeón?" o "¿cómo le va, maestro?", él les contestaba: "Vení, vení, te voy a decir algo… cuando yo entre, no me digas 'campeón' ni 'maestro', sino '¿cómo andás, gordito?'". Para no generar confusión, ¿viste?

JUANA PERALTA RAMOS *cantante y sobrina*
Él caminaba elegante por el campo con traje, una camisa blanca como con bordaditos y zapatos lustrados: algo muy fino. Tenía la piel blanca, casi transparente. ¡Hacía un calor! Les cantaban el feliz cumpleaños a él y a un tío abuelo que cumplía el mismo día. Después, Federico entonó "Diamantes en almíbar" –una canción de Jorge de la Vega–, agarró un cacho de torta con la mano y se la mandó. Ja ja ja… ¡la cara llena de merengue! Yo era chiquita y para mí era un ídolo: por hacer eso y por tantas otras cosas. Nos hacía reír todo el día. También recuerdo que una vez estábamos organizando los caballos para ir a Cerrillos, un campo vecino que quedaba bastante lejos. Federico le regaló a un primo mío un lacito trenzado que decía "Argentina" y le dijo que eso lo iba a proteger en la cabalgata.

SEBASTIÁN PERALTA RAMOS
Un día me dijo: "A Daniel Mendoza le van a bajar el volumen… está muy iluminado". Al poco tiempo Mendoza se suicidó. La expresión "le van a bajar el volumen" es buenísima y muy real.

ESTEBAN ZORRAQUÍN

En el campo, al que fue mucho y un buen día dejó de ir, decía: "Hay que hacer como los niños" y se comía un chupetín.

SEBASTIÁN PERALTA RAMOS

En un libro de Rosas escribió esta dedicatoria: "Potencia y resistencia para este galope extraño que es el asunto del vivir".

EDGARDO GIMÉNEZ

El huevo enorme que expuso en el Di Tella rozaba la genialidad; cuando se empezó a resquebrajar, antes de que los yeseros de SEPRA lo solucionaran, lo rompió con un pico. Se había armado dentro de la sala y después no salía por ningún lado. El que pusieron frente a la plaza San Martín no es un homenaje: está mal hecho y se parece más a una píldora que a un huevo.

JULIÁN MIZRAHI

Ese huevo que está al lado del Kavanagh es lo opuesto del original. ¡Tenía que estar encerrado!

LAURA BUCCELLATO

Es una mentira de acá a la China, se trata más bien de un *souvenir* de Peralta Ramos.

BLANCA ISABEL ÁLVAREZ DE TOLEDO

¿A quién le hacen un huevo en la plaza?

JUSTO SOLSONA

Cuando se inauguró el huevo de la plaza San Martín estaban presentes muchos familiares suyos. Yo no los conocía. Entonces, pensé: "En vida seguramente no tenía este reconocimiento". A Peralta Ramos no le daban bola en justa proporción. Y la familia apareció recién ahí, cuando quizás debió haber aparecido antes.

ZELMIRA PERALTA RAMOS

Acuariano de pura cepa como yo, Fede fue mi maestro. Me marcó a fuego enseñándome desde un lugar desde el que no parecía que lo estuviera haciendo. A mí, que era la sobrina mayor, me miraba fijo como diciendo "a ver qué mierda se va a mandar esta" porque había roto el tablero y ya era consciente de la transformación que había generado en la familia. A la vejez viruela me doy cuenta: qué genio. Es como si viviera el futuro. ¡Todo lo que me decía! Por ejemplo: "Zelmirita, no te saqués nunca las botas". Con el tiempo entendí que "las botas" eran la autoridad y que él me decía que no le diera autoridad a nadie, que hiciera siempre lo que sintiera. Y así soy: gánica. Hago siempre lo que tengo ganas. En el fondo, Fede me enseñó a vivir… yo venía medio acartonada y se me derritió todo. En un planeta lleno de formalismos y de situaciones de encubrimiento, vivir es ser uno. También me decía: "Acordate del sombrero de Jane Fonda". Hoy la veo a Fonda y la entiendo perfecto, su capocha es lo más. De hecho, él me compró ese sombrero, uno divino de *cowboy*, de La Rural.

87

CARLOS ÁLVAREZ INSÚA

La cantidad de hallazgos verbales era continua: hacía del castellano un inglés. En castellano es difícil hacer chistes verbales. La estructura de literalidad psicótica le daba un poder extraordinario y en nada perturbaba su lealtad y su fe. De una delicadísima sociabilidad, era el tipo menos invasivo con el interlocutor que conocí en mi vida: jamás me dijo "Carlos, tenés que hacer tal cosa".

MIGUEL SCHAPIRE

Era un solitario y se enorgullecía de eso. Funcionaba así. No era un tipo que fuese a invadir. Para lograr un cambio en su posición física dentro de un bar tenías que insistir mucho e ir por la seducción. Era como que no le interesaba: tenía una autonomía de vuelo y se manejaba de esa manera.

RAÚL NAÓN

Siempre recuerdo aquel poema suyo que dice "Estoy solo. No hay nadie en el cuarto/ y sin embargo me siento bien./ Llenar el vacío./ No. No. No. No. No. No. No./ Miro el ropero que está lleno de ropa./ La ropa piensa/ dentro de un rato me van a traer el/ desayuno".

ZELMIRA PERALTA RAMOS

Las frases suyas que me hacen la vida más fácil son: 1) "Yo me ocupo de mis cosas"; 2) "No paso información"; 3) "Andar liviano".

MILAGRO PERALTA RAMOS *artista y sobrina*

Cuando uno le preguntaba: "¿Cómo va todo, en qué andás?", la mayoría de las veces contestaba diciendo: "Yo no paso información". Eso siempre me pareció genial, al punto de que lo aplico hoy en día.

NANÁ GALLARDO DE POLESELLO

A veces te estaba hablando y de golpe se dormía cinco minutos: después se despertaba y seguía como si nada.

LAURA BUCCELLATO

Lo conocí trabajando en Art Gallery International, donde aparecían desde Pablo Suárez hasta Manuel Puig. Yo era joven y tímida, y más aún con la gente un poco mayor. En la actualidad las chicas de 20 salen con tipos de 40, pero en aquella época no era así. Federico se dio cuenta de mi timidez –"darse cuenta" es uno de los mandamientos gánicos– con una gentileza propia de su parte patricia y de su bonhomía, pero no como algo autoritario, sino en el sentido del pensamiento aristocrático. Hoy las feministas estarían como locas, ¡pero las cosas que te decían los artistas! O incluso te tocaban la cola. De pronto usaba una minifalda muy corta y me decían: "¿Me alcanzás ese catálogo de allá abajo?" para que, al agacharme, pudieran mirarme. La cuestión es que él pescó esa cosa, entonces me trataba con suma gentileza. Una vez nos encontramos caminando por Florida. Anduvimos un rato juntos y me dijo: "Mirá, nena, yo te voy a explicar, en este mundo…". Paramos en el Florida, que no quedaba en la esquina, donde estaba el Augustus, sino al lado. Me explicó la teoría de la "huevura", del huevo. Él decía que había tres etapas: la primera termina en que todo es una gran huevada y resulta que yo estaba en esa, creía que todo era serio y él quería demostrar la relatividad y el azar de las cosas. "Tenelo en cuenta porque te va a ayudar contra todos esos", me advirtió, anticipando la jugada. Ni siquiera yo me daba cuenta de la violencia que de alguna manera se ejercía en ese ámbito debido a mi timidez y mi falta de manejo social en una época en que provocar era la consigna.

MARIO MACTAS *periodista y escritor*
En un punto, todo arte es conceptual, ¿pero quién se va a poner de acuerdo en qué es el arte? A mí, FMPR me interesa desde el punto de vista poético: del huevo del Di Tella a Tato Bores, de su profunda desesperación a sus raros ojos buscando dónde mirar, de sus cantos a sus escritos. Fue un muy buen poeta y un muy buen poeta es siempre un solitario. Y después, claro, hay que comer, y Federico no tenía problemas para comer, pero tampoco le abundaba.

SANTIAGO VILLANUEVA
Falta una lectura, una interpretación de Peralta Ramos como poeta. Eso va a suceder cuando se lo saque de la anécdota. Es el primer tuitero de Argentina. Sus frases tan útiles son una gran caja de herramientas listas para usar; por ejemplo, "Cuidado con la pintura" suena en casi todas las muestras y muchos artistas la reinterpretaron.

GABRIEL LEVINAS
Siempre me encantó su intuición política. El itinerario era así: íbamos a La Martona, en la calle Ayacucho, donde pedíamos una leche con vainillas, y después nos sentábamos en La Rambla a tomar café. Eso era alrededor de las cinco o seis de la tarde, entre 1972 y 1974, porque mi taller estaba en el edificio donde vivía Eva Perón. En el

73 subió Cámpora y se armó una joda descomunal en la Plaza de Mayo. Estaban todos los de la JP [Juventud Peronista] festejando el regreso de la democracia después de la dictadura de Lanusse. La gente bailaba y saltaba, parecía que la revolución estaba a la vuelta de la esquina. Yo, por supuesto, no fui: no había nada que festejar. Nunca tuve nada que festejar en la política argentina. Eran como las siete de la tarde y Federico no llegaba a La Rambla, donde teníamos una cita casi obligatoria. Apareció más tarde con una euforia increíble. Venía de la Plaza el hijo de la puta. Decía: "Me besaban, me abrazaban, no sabés... era maravilloso". Pensé para mis adentros: "Lo perdimos, también me lo agarraron a este". Le pregunté qué tal con todo eso y me contestó: "Una ilusión democrática". Es decir, había ido y se había cagado de risa sin contagiarse. Al revés de mi actitud, que era la de un amargo, él no quiso perderse ese canyengue, quiso estar presente.

MARIO MACTAS
En medio del marasmo en que todos votábamos a Cámpora, él votaba a Manrique.

MARIO SALCEDO
En Mau Mau Federico verdugueaba al General Lanusse, que tenía mucho humor y era un milico de puta madre. Ahí también aparecía Galimberti, que tenía la oficina arriba de Mau Mau y chupaba con Lanusse como si nada... esas cosas no existen más.

EDGARDO GIMÉNEZ
Cierta vez le preguntaron qué planes tenía para el año entrante y contestó: "Estar presente".

DANIEL LEBER *artista e investigador*
Peralta Ramos cruza su aspiración mística mesiánica con nuevas formas de considerar el arte para transmitir la fe en una humanidad

venidera y mejor. La frase "Anhela un mundo mejor" remata uno de sus tantos CVs. Este mundo mejor es al que pretende llegar tal vez el endocosmos en aras de sanarse y así reestablecer continuamente, día a día, su firmamento interior, su presencia. Este "estar presente" al cual aludía Federico no es sino la batalla contra la alienación que se combate con poesía, arma que consideraba más filosa que la política. Contar un chiste, regar las flores, salir a caminar, dar una comida o hacerse la paja es tan obra de arte como dar entrevistas, escribir artículos, aparecer en programas televisivos, grabar discos, cantar en cabarets o recitar canciones en películas. Todas emanaciones de una personalidad autoproclamada obra de arte. No creo que con esto hubiera querido significar que cualquier cosa y/o persona puede ser una obra de arte, sino que él realmente lograba esa transustanciación.

REMO BIANCHEDI *artista*
No elijo un texto sino una imagen de lo que aún significa FMPR en mi vida. Todos los días me desea fuerzas. Insisto en que mi participación sea una imagen porque, conociendo a Federico, le gustaría "más que mil palabras". Además, esa foto que sacó Pedro Roth significa que está presente.

MARIO MACTAS
Era socrático, peripatético y subyugante. A veces lo recuerdo cantando "Diamantes en almíbar", la mejor canción de De la Vega: ¿cómo olvidar esos versos sensacionales que decían "y al volver/ bajaremos un ratito en San Francisco/ y con los hippies, que son un amor,/ fumaremos un puchito"? Quizá se sobrestima a FMPR en algunos aspectos y se lo tiende a olvidar como poeta. Tato Bores lo intuyó y lo aprovechó, pero no lo entendió, o ligeramente sí.

CARLOS ULANOVSKY *periodista y escritor*
Quien siempre lo bancó y le dio un muy atinado lugar fue Tato Bores. En *El actor cómico de la Nación*, mi libro biográfico sobre él, escribí: "A

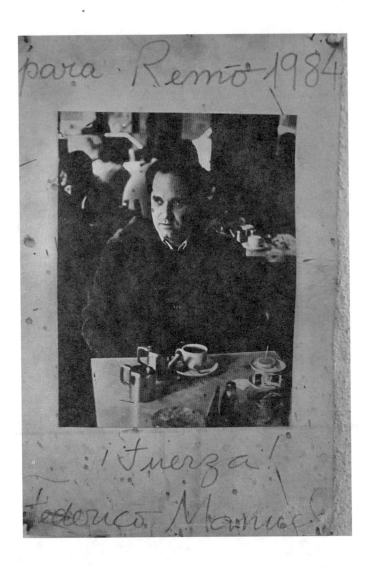

Retrato de Pedro Roth que Federico Manuel intervino y le regaló a su amigo, el artista Remo Bianchedi, en 1984.

ese formidable artista plástico y rompedor de límites que fue Federico Manuel Peralta Ramos, Tato le tenía un afecto especial y tal vez por eso lo incluyó en *Siempre en domingo* (1969), *Dígale sí a Tato* (1973), *Extra Tato* (1983) y *Tato de América* (1992). Justamente, grabando uno de los programas del último ciclo, el 11 de junio de 1992, Peralta Ramos sufrió una crisis de hipertensión de la que no se repuso y falleció el 30 de agosto. Con expresión invariable, ese hombrote aniñado irrumpía solo para quebrar la terrenal cotidianeidad de Tato con frases enigmáticas o apocalípticas como 'Es más tarde de lo que tú crees', 'Se aproxima el fin de hoy', 'Los globos que me meten desde siempre están por estallar', 'No quiero ir a la luna porque a mí me gusta acá' y una que siempre me pareció luminosa: 'Fundamentalmente, soy un actor'. Aunque casi todas sus intervenciones eran inentendibles, Tato lograba que ese extraño e insólito interlocutor también dejara perpleja a su audiencia y en estado de pensamiento, procurando develar qué habrían querido significar esos dichos. En las intervenciones de 1983, Federico entregaba piezas de su poemario desbordado y lunático. 'Tato', le decía, 'hay una generación entera que no me conoce y por eso ahora me dedico al rock'. No había ningún rock y sí un piadoso gesto de confusión del conductor, que le respondía invariablemente: 'Federico, no sabés cómo te comprendo'".

OSVALDO CENTOIRA

Durante años fue *showman*: iba por los bares del Bajo recitando poemas de Rimbaud o de García Lorca. Tenía incluso un carnet de actor profesional –profesional de verdad– que le había dado la Asociación de Actores. No era un improvisado.

ALEJANDRO AGRESTI

Los fines de semana me las rebuscaba para filmar *El hombre que ganó la razón*, mi primer largo. Muy generoso, el Gordo siempre me apoyó incondicionalmente: venía al rodaje, me ayudaba, escuchaba los avances del guion. Para una escena re loca que rodamos en el patio

Federico Manuel participó como showman en cuatro programas de Tato Bores. En esta foto publicada en la revista *Siete Días* se los ve juntos en el set de *Siempre en domingo*, el ciclo que Canal 11 emitió en 1969

de la Manzana de las Luces, ambos hicimos propaganda por nuestros lados porque necesitábamos a mucha gente disfrazada. Juntamos como a doscientos locos. El único sin disfraz era él, que pintaba sobre un gran lienzo la frase "Las villas miserias no me gustan" como una sátira del arte conceptual. Terminé de filmar en 1984 y estuve un año en Europa buscando guita para editarla. Volví con la película bajo el brazo y empecé a preparar *El amor es una mujer gorda*, mi segundo largo. Como yo era asistente de dirección en Canal 11, pedí permiso para usar un set de *La Botica del Ángel*, donde una noche filmamos al

Gordo recitando varias cosas. Él sabía perfectamente actuar frente a las cámaras y entraba en ritmo rapidísimo. Se lo veía copado, gozando, y cada tanto me pedía: "Dejame hacer otra más". Finalmente quedó la escena en que canta "La hora de los magos" y que termina con un autoelogio: "¡Bien, Federico!".

PABLO BIRGER
Que haya desaparecido obra suya no me extraña porque la gente lo subestimaba mucho. Incluso para algunos artistas era "un gordo pelotudo". Lo tomaban como un payaso, sobre todo cuando empezó a aparecer en la TV.

ELOÍSA SQUIRRU *escritora*
En *Rafael Squirru*, la biografía que escribí sobre mi padre, él recuerda que Federico se había comprado una bicicleta para hacer ejercicio y que un día le dijo que no lo veía usándola, a lo que contestó: "No uso la bicicleta porque no me cabe en el taxi". Mi padre sostenía que, a través de la broma, Federico manifestaba su profundidad; "mientras yo divido la humanidad en buenas y malas personas –dice Rafael–, las categorías de Federico, que como todo clown tenía más de trágico que de cómico, eran 'gente infinito' y 'gente bife'".

NANÁ GALLARDO DE POLESELLO
Me regaló una foto en la que está posando junto a una bicicleta y en el dorso escribió, en el acto, "Operación financiera". Es un gesto típico en su obra, totalmente conceptual. De hecho, seguramente se sacó la foto pensando en la obra, en su concepto.

JULIÁN MIZRAHI
Federico ha sido un gran personaje con fanáticos y detractores, con gente que lo quería mucho y con gente que le tenía envidia. En el medio artístico local me decían que les encantaba la obra, pero me preguntaban por qué hacía una muestra dedicada a él.

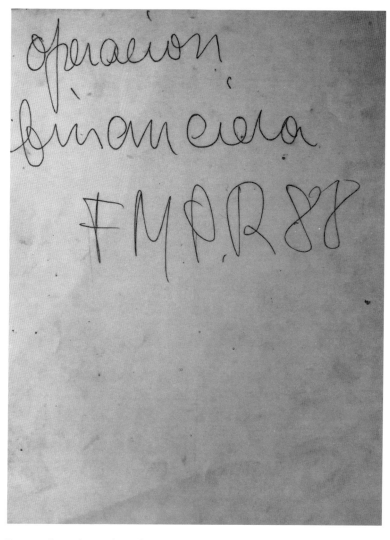

Frente y dorso de una foto-obra que Federico Manuel intervino con birome con la frase "Operación financiera" y le regaló en 1988 a su amiga Naná Gallardo de Polesello.

CARLOS ÁLVAREZ INSÚA

El amor por De la Vega era profundísimo y reverencial: lo consideraba el capo del Di Tella y lo veía como a un santo. Cualquier gran artista tiene un poco de santo y con Federico no hay que desdeñar el mundo de lo sagrado: su gestión implica algo autoinmolatorio, un martirologio.

PABLO BIRGER

Era maravilloso escucharlo cantar De la Vega con esa voz, ese cuerpo, esa gestualidad y esa presencia: actuaba las canciones.

PEDRO ROTH

Con su participación en el programa de Tato Bores se hizo famoso. Tato era un hijo de puta porque no le pagaba. Por su parte, a Federico nunca le interesó el dinero, lo derrochaba sin parar. La gente lo reconocía por la calle. Yo tenía un auto viejo que vivía en el taller. Me acuerdo de que a veces él me acompañaba a buscarlo y los mecánicos, al llegar, lo reconocían, lo saludaban, le daban mates y le convidaban sándwiches. Era otra Buenos Aires, nada que ver con la de hoy. "¿Viste, me reconocen?", decía. Para él era fundamental que lo reconocieran, lo necesitaba.

GUILLERMO CABANELLAS

De su relación con Tato hablaba poco y no muy bien.

NANÁ GALLARDO DE POLESELLO

Nos conocimos en Mau Mau a mediados de los 80. El DJ, con el que yo estaba conversando, me dijo que me iba a presentar a un amigo: era Federico. Yo lo admiraba mucho y tenía presente su participación en el programa de Tato Bores, sobre todo cuando decía "Tato, yo estoy acá porque te quiero". Entonces, en vez de saludarlo formalmente y decirle "Hola, soy Naná", cuando nos presentaron le dije "Federico, yo estoy acá porque te quiero".

CARLOS ÁLVAREZ INSÚA

Se vive para Tato porque la performance se expande por un *mass media*. Creo que Federico llegó a cobrar un lugar un poco "exagerante" para Tato.

EDGARDO BORDA *director de televisión que dirigió algunos ciclos de Tato Bores*

Federico arreglaba con Tato, con quien tenía muy buen *feeling*, sus apariciones en el programa, que eran siempre improvisadas. No había nada escrito. Él salía al aire con una impronta especial. La mayoría de las veces no sabíamos para dónde iba ni cuál era el remate. Recuerdo que al final del sketch Federico –no jodía a nadie, hacía su parte y se iba– entonaba una estrofa de "L'aurora di bianco vestita".

LAURA BUCCELLATO

Había gente que creía que era un actor de Tato Bores, un cómico.

ALFREDO ALLENDE *actor*

Lo vi una sola vez. Fue en 1992 durante el famoso encuentro que organizó Tato Bores para repudiar la censura que la jueza Servini de Cubría había ordenado dos días antes de que en *Tato de América* se emitiera un sketch que supuestamente la difamaba (de hecho, las imágenes prohibidas fueron remplazadas por una placa negra que decía "censura judicial"). En los estudios de Canal 13 se juntaron unas setenta personas entre las que estaban los Soda Stereo, China Zorrilla, el Flaco Spinetta, Juana Molina, Mario Pergolini, Magdalena Ruiz Guiñazú, Ricardo Darín y Mariano Grondona. Antes de que empezara el programa cantaron "La jueza Barú Budú Budía, la jueza Barú Budú Budía, la jueza Barú Budú Budía… ¡es lo más grande que hay!". Yo estaba al lado de Peralta Ramos, que vestía de traje. Recuerdo que miraba todo azorado y al terminar el canto repetía al aire: "Tato Bores… el poder total". Entonces me miró y me dijo: "El poder totaaaaaal". Y tenía razón, la frase era buenísima porque Tato había logrado reunir a la crema de la crema, algo que solo él podía hacer.

LUIS PAZOS

Una de las actitudes que lo mostraron como gran artista fue imprimir tarjetas donde especificaba, además de su nombre, su función. En una tarjeta absolutamente tradicional, debajo de la inscripción "Federico Manuel Peralta Ramos" decía "Becario Guggenheim". De alguna manera ese título cuestionaba la seriedad de la beca. Sin lugar a dudas, su máximo hallazgo como artista de vanguardia fue salir del museo, de la galería y de cualquier otra institución para mostrarse en la televisión, en el programa de Tato Bores.

RENATO RITA

Yo: "¿Federico, nosotros podemos ser amigos?".
Federico: "No, Renato, nosotros no podemos ser amigos".

FERNANDO DEMARÍA

Un caballero, un hombre de calidad capaz de apasionarse por una mujer y jugarse por un amigo.

CARLOS ÁLVAREZ INSÚA

Era un dibujante bastante refinado. En el campo hacía prometedoras acuarelas de pájaros. En términos desvaídos y moribundos de la oligarquía argentina se lo tildaba de "simpático" o "divertido". Además, en su etapa rural jugaba al polo y llegó a tener tres goles de hándicap. Cuando terminó ese período, hizo la zafra en algún campo y después apareció el artista del Di Tella. El "quiebre" puede que haya sido ahí. Por eso es importante el eje político: por un lado, el aspecto revolucionario y, por el otro, el deseo de rescatar la voz "derrotada" de una clase (aunque siga administrando un gran porcentaje de la riqueza del país). Eso hace a su singularidad. Sumada al goce infinito de no tocar el dinero, el colmo de la vulgaridad y lo que toda su familia derrocha. En el dinero sí lo asocio a su aspecto nobiliario: como si dijera "siempre puedo volverme loco y no me tengo que exponer a determinados lugares" y se sintiera blindado en lo casero, en el control de sus recorridos. Si bien iba feliz a Caballito o a Solano, tenías que ser amigo de él, meterlo en un auto, llevarlo y traerlo. En cierto modo Federico tenía una idea más "nuevorrica" de los Peralta Ramos y prefirió la generación de heroicos soldados de los González Balcarce (hay, incluso, un antepasado poeta llamado Florencio González Balcarce, homenajeado por una callecita frente al Parque Centenario e hijo del general Antonio). Se arma algo borgiano ahí.

CALÚ DABANCENS *productora*
A su madre le dedicó en 1982 el "Poema extraño": "Después de un postrer esfuerzo/ una patria indigna/ los transformó en postre/ Adela pintando/ les está regalando un postre".

SEBASTIÁN PERALTA RAMOS
Por rama materna descendemos de Antonio González Balcarce, mano derecha de San Martín: eso pesa mucho. Un poco por transgresión y un poco por competencia con el viejo, Federico buscó el protagonismo en otro lado y se le dio. Era muy avanzado. Tenía bien claro qué colegas estaban atrás de la guita y qué colegas eran puros.

SANTIAGO VILLANUEVA
En sus obras habla del dinero y de su clase. Se rio de eso, pero desde un lugar muy desolado y triste: la desolación del rico solitario. Es algo que le tocó de cerca. Los materiales tan chotos que usaba –esos papeles, esos bastidores– también hablan de una urgencia y de un enojo de clase.

MARIO SALCEDO
Los porteños somos borgianos a muerte.

PEDRO ROTH
Llegó al Florida y me dijo: "Cómo me cagó el viejo Borges… lo ayudé a cruzar la calle (eso era un clásico) y me preguntó a qué me dedicaba;

Del brazo de su madre, Adela "Chiquita" González Balcarce, quien había estudiado pintura con Héctor Basaldúa (archivo Raúl Naón).

le contesté que era cantor, artista plástico, poeta, filósofo... y él me dijo: 'Yo soy solo escritor, ¡cómo me gustaría ser algunas de esas cosas!'. El viejo me metió una tapa bárbara; hay que saber perder".

MARIO SALCEDO
En la plaza San Martín nos sentábamos Esteban Peicovich, Borges y el Gordo o yo, porque en el banco solo entrábamos tres, así que uno de los dos se quedaba parado. ¡Y empezaba el delirio con los cuentos metafísicos de Georgie!

CARLOS ÁLVAREZ INSÚA
Federico no te daba referencias para que te pudieras manejar. Como decía el propio Borges, "no leo a mis contemporáneos". Existe una tremenda operación en dejar la actualidad terminando en él porque te obliga a escribir en su contra. En Federico hay una intuición. Él se definía psicodiferente y no por nada era un tipo fuertemente medicado, con una estructura *border* real. Hay una locura genial, pero en perfecto equilibrio, contenida con maestría, aunque a veces paniqueaba. Creo que tenía un diagnóstico de una psicosis intensa y su psiquiatra lo redefinió con eso de psicodiferente y de algún modo lo blindó. Esa escena de Federico brotado protagonizando un hecho violento con una novia produjo un quiebre. Fue un tema totalmente borrado: nunca me lo mencionó. Y tampoco su estancia en la clínica psiquiátrica.

ELOÍSA SQUIRRU
Lo conocí en los años 50. Él era un pibe y mi hermana y yo, muy chiquitas. Federico andaba sin un mango y papá le tenía mucha simpatía, entonces lo contrataba como *babysitter* nuestro cuando él y mamá salían. Lo recuerdo dulce, amoroso y re lindo: era flaquísimo y después engordó como una bestia.

CARLOS ÁLVAREZ INSÚA
El Federico que yo conocí, más domesticado, empieza con Rojas-

Bermúdez. No era nostálgico y a veces se embroncaba; por ejemplo, con Marta Minujín. Ella aparecía en algún lugar y él decía: "Uy, otra vez Marta haciendo el Federico". Creo que no la consideraba una artista interesante. Adoraba a Rafael Squirru, quien hizo cosas que él disfrutó muchísimo: le dio una página en un catálogo de la [Universidad Nacional] Autónoma de México y él estaba como un bebé. Squirru lo entendió todo el tiempo. En realidad, Squirru entendió a todos los artistas.

NANÁ GALLARDO DE POLESELLO

Un cuento que me contaba siempre: había colgado en Mau Mau una tela de dos metros con la frase "¡Trabajen, vagos!". El cuadro quedó un tiempo ahí hasta que un día le pidió a Rafael Squirru que lo ayudara a cargarlo hasta su casa. Iban caminando por Arroyo y en la mitad de la 9 de Julio frenaron a descansar un rato. Muy cerca había unos obreros reunidos alrededor de una parrilla. La frase los interpelaba desde el bastidor: "¡Trabajen, vagos!". Squirru notó ciertas miradas inquietantes y le sugirió a Federico que apuraran el paso ya que el cuadro estaba generando algunas hostilidades, pero él no se inmutaba. Dos obreros se empezaron a acercar y recién entonces prosiguieron la marcha, al trote. Cuando llegaron a destino, Federico le dijo a Squirru algo así como: "Rafael, confesá que percibiste la modificación contextual del sentido de una obra auténticamente conceptual".

ASTRID DE RIDDER

Fuimos amigos durante muchos años. Me llevaba a almorzar a Luz y Fuerza, en Callao y Quintana. También venía a casa y tocaba la guitarra. Myriam, la mujer de mi hermano Pancho, me decía :"Es loco, no lo dejes entrar", y para mí era un genio. Estudió Arquitectura con Pachi Firpo y juntos se fueron a Machu Picchu.

ANA PERALTA RAMOS *melómana y prima hermana*

Estuve seis años de novia con Pachi, de quien Federico era intimísimo. Antes de que nos casáramos me regaló un cuadro enorme hecho con un mazacote de pintura roja. Un día la pintura empezó a caerse. Entonces lo llamé y le conté lo que pasaba. Me dijo: "Eso no se llama 'caer' sino 'caminar', quiere decir que la pintura está caminando". Cuando finalmente me casé, en 1962, Federico me regaló una pelota de fútbol. Estaba envuelta y todo. Le pregunté para qué era y me contestó: "Para que la metas en el arco". Antes de todo eso, cuando cumplí 20 años me mandaron a Alemania a aprender alemán. A su vez, Pachi y Federico partieron a Machu Picchu; según recuerdo, allá tomaron dos cuartos: uno para la ropa sucia y otro para ellos. Ambos eran pegadísimos. Creo que si Federico se tiraba del Obelisco, Pachi se tiraba atrás.

PEDRO ROTH

En el Rosedal, frente al Museo Sívori, se organizó un partido de fútbol entre galeristas y pintores. Federico no jugó porque estaba gordo como un chancho, pero se puso la camiseta y apareció en la foto junto a Bobbio, Gamarra, Puente, Pier, Trotta, Audivert y David Scheinsohn. Ganaron los artistas 3 a 2.

ENRIQUE SCHEINSOHN *rematador y galerista*

A fines de los 80 le propuse a Enrique Crosatto que organizáramos un partido de fútbol: él reclutó a pintores y yo, a *marchands* (en rigor, el equipo lo formé con empleados de galerías). Se hizo en el Club de Amigos, terminó 2 a 2 y yo fui el referí. Federico jugó como el culo: debe haber tocado la pelota dos veces. La camiseta de los artistas era de Boca y tenía dibujado un cuchillo con sangre. Después del partido fuimos a la cafetería y Federico dijo: "Voy a recitar unos chamamés", y lo que recitó fueron unos poemas suyos.

MARIO SALCEDO

Te acoplabas a su pensamiento y cuando menos te dabas cuenta estabas haciendo lo mismo que él. Era el tipo más informal del mundo, pero un *gentleman*.

Foto tomada la noche del partido de galeristas contra artistas que Enrique Scheinsohn organizó en el Club de Amigos y terminó empatado; si bien Federico Manuel casi no jugó, posó para la lente de Pedro Roth con la camiseta de Boca intervenida (archivo Raúl Naón).

PACHI FIRPO

Viajamos a Perú. Primero estuvimos en Lima, en la casa de los Meyer, unos amigos de su padre. Nos pusieron en un dormitorio con un tipo que nos cuidaba y que dormía a los pies de nuestras camas. Salíamos todas las noches y el pobre hombre no pegaba un ojo. Federico me decía: "Che, tenemos que dejar de salir porque este tipo parece un zombi". En la playa Waikiki intentamos hacer surf, pero fue un fracaso. De ahí viajamos a Cuzco, donde alquilamos un Chevrolet Impala. A Fede le encantó Machu Picchu. Se fascinó con una puerta enorme e inclinada. "Es la puerta del cosmos", aseguraba, "tenemos que entrar". Y yo le contestaba: "¡Entrá solo!". Tuvo revelaciones que le dieron ideas de infinito. Decía: "Creo que la inmanencia latinoamericana es un depósito de fe para todo el universo; Europa está acabada… lo mejor que tienen es la ropa, por eso deberían llamarse 'Enropa'". El primer día estuvo grogui. Se apunó con la altura y se desmayó. En el avión la azafata te ponía un tubito con oxígeno y te recomendaba que no te agitaras mucho. Ahí me di cuenta de que a Fede le gustaba ser un aventurero.

DIEGO PERALTA RAMOS

Fede y yo dormíamos en unos cuartos contiguos que el viejo nos había hecho en la azotea del departamento que teníamos en la calle Vicente López. Una mañana me toca la puerta y me dice: "¿Me prestás cincuenta mangos?". Le pregunto: "¿A esta hora, para qué?". Contesta: "Tengo que cruzar el charco, me voy a Uruguay". A dedo o caminando, desde ahí llegó hasta Brasil y tenía intenciones de seguir subiendo. En San Pablo le tocó el timbre a Ermelino Matarazzo, a quien el estudio del viejo le había hecho una casa divina. Le contó que era hijo de Federico y que estaba recorriendo el mundo a pie. Para él, el paraíso era dormir en las cajas de las camionetas, adentro de los camiones… Salió de lo de Matarazzo, hizo dedo y frenó un taxi. Llegaron a destino —no sé exactamente dónde— y Federico le explicó que no tenía plata. El taxista lo llevó a la policía y lo metieron preso. Me llamaron de la comisaría... mandé dinero y un pasaje de vuelta. El viaje fue en 1962 y habrá durado un par de meses.

PACHI FIRPO
La aventura era, por ejemplo, quedarse sin plata y ver qué pasaba.

SEBASTIÁN PERALTA RAMOS
Soy el menor de los seis hermanos y con Fede nos llevamos diez años. Vivíamos en la calle Vicente López, en una casa de tres pisos que tenía una azotea en la que el viejo había hecho un departamento. Ahí dormían, en cuartos separados, Fede y Diego, pero cuando Diego se casó, me mandaron a mí arriba, de modo que viví de los 15 a los 25 al lado de Fede. En ese departamento con entrada por la puerta de servicio –un jolgorio– los vi desfilar a todos.

NANÁ GALLARDO DE POLESELLO
Con Polesello –al que había bautizado "Poleseller" y que él mismo me presentó– y otros artistas se fueron de gira a Estados Unidos en 1966. Rogelio me contó que en el avión Fede se levantó de su butaca, se puso un casco de polo y entonó el tango "Qué vachaché", de Discépolo, en el que se destaca la estrofa "lo que hace falta es empacar mucha moneda". También me contó que debían encontrarse con el director de un museo de Washington y Fede llegó tarde, vestido con piloto y todo despeinado. La reunión era súper formal y en vez de pedirle perdón al director por la tardanza, le dijo: "¿Tenés una Coca-Cola?".

CAROL NAVARRO OCAMPO *mineralogista*
Recuerdo su frase "Si tenés un amigo en Coca, andá a Pepsi".

MIGUEL SCHAPIRE
Invitado por el Departamento de Estado, viajó a Estados Unidos con Rogelio Polesello, Pablo Suárez, Ary Brizzi y Víctor Magariños. Al volver, el Bellas Artes organizó la muestra *Cinco jóvenes pintores argentinos*.

Federico Manuel realizó pocas salidas al exterior; en 1961 viajó junto a Pachi Firpo –compañero de escuela y de universidad– a Perú: acá se los ve recién aterrizados en el aeropuerto de Cuzco.

Durante el viaje, Federico compartió habitación con Polesello, quien le dijo, cuando llegaron a la habitación del hotel: "Ahí está el ropero"; él le contestó: "Usalo vos", y enseguida vació la valija en el suelo y ese fue su ropero durante toda la estadía.

ALEJANDRO PERALTA RAMOS *licenciado en Administración de Empresas y sobrino*
Mi madre, Cristina, me recordó que un día la profesora de arte nos preguntó a los alumnos de mi clase si alguno tenía a un artista en la familia y yo nombré a mi tío. Entonces, mamá lo pasó a buscar a Federico por su casa –vestía un traje azul como si fuera a un casamiento– y lo dejó en mi

colegio, el St. Brendan's. Dio una charla en la que dijo cosas lindísimas. Habló de la vida, del arte ("hay que hacerlo bien", nos enseñó) y cantó varias canciones; entre ellas "El gusanito", de Jorge De la Vega, que la profesora terminó adorando. También recuerdo que una tarde tocó el timbre de casa: me regaló una manzana y a mi hermano, unos guantes de box "para pegarle", según explicó, "al negro". El "negro" era la vida.

MILAGRO PERALTA RAMOS

Era mi cumpleaños. Cayó en casa con una malla con naranjas y me dijo: "Feliz cumpleaños, Mili, este es mi regalo para vos, seguramente será el menos materialista que recibas".

LUIS TINO

Me buscó durante varios años por el local y jamás se me ocurrió pedirle un poema: lo nuestro iba por otro plano. "Si algo te pertenece, alguna vez vendrá a vos; si no te pertenece, no vendrá nunca", recitó una vez en la vereda. Le pregunté por qué recitaba eso y me contestó que era por una sirena que yo tenía expuesta en la vidriera y él quería comprar. Ofrecí regalársela y no la quiso.

GERMÁN GARCÍA *psicoanalista y escritor*

Era bastante estereotipado y no me llamaba mucho la atención. Intentó ser actor un par de veces. Era un personaje con una patología simpática para algunos, pero a mí me caía pesado: siempre la misma cantinela. Si bien tenía la imagen de alguien ingenioso, creo que no lo era. En ambientes donde la gente se aburre quizá podía funcionar. Yo quería hacerlo enojar, sacarlo de las casillas. Fue en el bar La Paz. Dijo algunas pavadas y yo empecé a hacer toda una argumentación de la existencia parasitaria de los hijos de la clase alta. Y picó. En la nobleza siempre hay parásitos. En Barcelona conocí a alguien así que iba al bar Bocaccio, donde nos juntábamos todos. El mozo le traía un vaso de agua y él comía lentamente unas migas de pan que sacaba del bolsillo. Terminaba, saludaba y se iba. Me parece que Federico era más consciente de las cosas que hacía y odiaba que no cayeses en la trampa. Aquella vuelta se puso colorado de furia: "No tenés ningún derecho a burlarte de mí", dijo. Yo le contesté: "Y vos, ¿tenés derecho a burlarte del mundo?, ¿acaso tus papás te dieron algún permiso especial? Si bien hay gente que se divierte con tus cosas, a mí me parecés reiterativo y tonto". Ojo, tampoco era violento de amenazar, sino más bien de levantar la voz y querer callarte con su autoridad.

MARIO SALCEDO
Germán García odiaba a la oligarquía.

ALEJANDRO AGRESTI
Federico era un artista tan genuino, que de pronto tenía conciencia, en una mesa, cuando alguien lo miraba como a un tipo raro. Entonces se cerraba. Y, al revés, se sentía muy cómodo cuando vibrabas en su frecuencia. En ese sentido, creo que Germán –al que yo amaba porque me abrió la cabeza y en La Paz era uno de los pocos que me defendían– no lo entendió. ¿Lo pensaría un payaso? Germán es Germán y hablaba mal de casi todo el mundo, pero me da pena que no lo haya entendido. Eso es competencia.

JUAN ÁLZAGA *arquitecto*
Lo que más fresco tengo de Federico era la siguiente frase: "Hay que tener mucho cuidado con el desfile porque está todo el tiempo preparado para pasarte por encima… vienen así, de a cuatro, y zuuuuuum, con lo cual tenés que estar atento para correrte".

PEPE CÁCERES
Con Federico teníamos en claro lo siguiente: "No avivar giles". Había que tener mucho cuidado porque, si no, el desfile te pasa por encima.

JUAN ÁLZAGA
En un momento repetía todo el tiempo esa idea e incluso podía

ponerse un poco rompepelotas con el tema. Era impresionante cómo describía la llegada del desfile con esa voz grave. ¿En qué momento se hizo el quiebre y se convirtió en "personaje"? Quizá fue cuando abandonó la carrera de Arquitectura. Su vínculo con el padre era muy malo; sobre todo, hacia el final de su vida. Una vez me encontré con Federico padre en un boliche y me preguntó si yo tenía mala relación con mi viejo, para luego confesarme que él y Federico se llevaban pésimo.

DIEGO PERALTA RAMOS
La relación de Federico con mi viejo era para escribir un libro. Papá se sentaba en una cabecera de la mesa del comedor y Federico, en la otra. Un día llegó tarde a almorzar y dijo: "Papá, ¿vos sabés que hoy me desperté y estaba soñando que era el Espíritu Santo?". Sin levantar mucho la cabeza, papá lo miró a través de sus anteojitos y le contestó: "Mirá, Federico, mala leche si sos el Espíritu Santo".

PACHI FIRPO
Noche, pleno verano. Federico, su padre y yo tomamos un consomé ante la mirada del mucamo Emilio. Solo se oye el ruido de la cuchara golpeando la loza. Federico dice: "Papá, creo que soy el Espíritu Santo". El padre contesta: "Mala leche".

JUAN ÁLZAGA
Siempre guardo conmigo algo que me escribió en casa sobre una hoja escrita previamente por la mucama: "El que no se endeuda con Dios, Dios lo mata".

IGNACIO GUTIÉRREZ ZALDÍVAR
Cómo olvidar una de sus frases célebres: "Dios dirige el tránsito".

PEPE CÁCERES
Conmigo le interesaba no sé por qué hablar de Dios, pero no desde un

punto de vista religioso, sino de la necesidad del ser humano de inventarse un Dios, pedirle cosas y mantener ese tipo de relación.

PEDRO ROTH
Tengo, enmarcada, la frase que dice "Dios es rarísimo" y que escribió en un cuaderno mío.

LAURA RIVERO
Si bien nos solíamos ver bastante, cuando murió me enteré –no recuerdo quién me lo contó– de que compartíamos una pasión que jamás apareció en nuestras conversaciones: Dios. Por otro lado, debo decir que no teníamos conversaciones porque siempre hubo algo monárquico en el ambiente. Tal vez eso de lo que no se hablaba estaba en algún lugar… la conciencia de pertenecer a la realeza y de ahí el constante esfuerzo para no olvidarlo haciendo "arte vivo". Fede era un profeta que profetizaba con su arte esperando el día en que todos nos reconociéramos como artistas.

FRANCIS VERSTRAETEN *empresario*
Un amigo mío que era íntimo de él me contó que Federico usaba mucho esta frase del arrabal: "No te pongas en piola que de gil estás un kilo".

CARLOS ÁLVAREZ INSÚA
Como buen artista contemporáneo, Federico actualiza la gauchesca; Martín Fierro, Don Segundo Sombra y Aniceto el Gallo están siempre rondándonos. Administraba la popularidad: si tomabas un café en La Rambla con él sentías que te relacionabas con el mundo rural argentino, casi con el malón y la montonera, ahí nomás de donde termina tu zona de confort, pero también con Warhol o Beuys. Ese patriciado en Federico es capaz de articular una voz, su vozarrón. Él aparece comprometido, primero que nada, con el arte contemporáneo y con la visión personal de recuperar cierta voz

que viene del interior, de la provincia de Buenos Aires, aunque sin sentido oligárquico.

LUISA MIGUENS

Federico y mi padre salieron desde Hurlingham a caballo en dirección a nuestro campo, en Monte. Estábamos preocupados porque no sabíamos por dónde venían, tal vez por la General Paz. Recuerdo que los recibí en la tranquera de El Rosario y se armó un revuelo enorme. Venían en dos caballos de polo. Después de tres días de travesía Federico dijo: "Al pasar la tranquera me acordé de *My Fair Lady* por aquello de '*I did it, I dit it*'". ¡Lo repetía cantando! Muchos de los que estaban ahí se quedaron helados porque no entendían la referencia a la comedia musical. Entonces Federico explicó que el profesor de fonética Henry Higgins decía "*I did it, I did it*" cuando consiguió que Eliza Doolittle –la florista callejera interpretada por Audrey Hepburn– hablara inglés con excelente dicción.

SEBASTIÁN PERALTA RAMOS

Federico siempre decía, citando al Viejo Vizcacha: "El que gana su comida/ bueno es que en silencio coma./ Ansina, vos ni por broma,/ querrás llamar la atención./ Nunca escapa el cimarrón/ si dispara por la loma".

ANTONIO STRAFACE *hacedor de jeans*

Jamás olvidaré su frase "La soberbia va a caballo y vuelve a pie".

JORGE DE LUJÁN GUTIÉRREZ *artista y periodista*

Era un verano llameante. Íbamos con mi mujer a una de las playas del sur de Mar del Plata. Arrancamos hacia el viejo camino a Miramar, que era una aventura de tierra. Antes de llegar a nuestro desvío estaba Federico sentado en una tranquera. Costó reconocerlo: bombachas y camisa de campo, gorra de vasco y alpargatas. "¿Qué hacés, cómo estás?", le preguntamos. "Fenómeno, campaneando. Soy un pedazo de atmósfera... rural", contestó. No sé si fue la última vez que lo vi. No desentonaba en el paisaje.

BOY OLMI *actor y director*
Quienes tenemos una sensibilidad abierta podíamos verlo no solo como un marginal y un demente, sino como un ser único, inteligente y brillante. Él conocía a mi padre y solíamos encontrarnos en El Rosario, el campo de un amigo que tenían en común: Carlos Miguens. Esos encuentros alimentaban mi curiosidad y mi fascinación muy estimuladas: aunque era chico, gracias a mis viejos viví en carne propia la psicodelia porteña de los 60. No sé cómo llegó a mis manos un original del Manifiesto Gánico. Por supuesto cumplí con la indicación final: "Clavar esto con una chinche en la pared". Era una hoja gruesa de papel satinado. Nos cruzábamos cada tanto caminando por la calle Vicente López y yo lo paraba para charlar. Él se detenía. Vestía impermeable aun en días de sol y pararlo significaba que recitara un poema o contara algo interesante. Una vez sacó un disco del bolsillo y no sé si me lo regaló, pero sí recuerdo que cantó, como primicia, su tema "Soy un pedazo de atmósfera".

SOFÍA BOHTLINGK *artista*
Si un día están medio atascados o girando en falso, pueden escuchar en YouTube la canción "Soy un pedazo de atmósfera", de Federico, y enfocarse en la parte que dice, antes de empezar a cantar, "dale, tocá sin afinar, che, así nomás tá bien". Es lo más refrescante que hay.

GUADALUPE YAÑEZ *ingeniera en alimentos*
Me gusta cuando, en la mitad de esa misma canción, dice "mozo, por favor, un sifón, tráigame un vaso con hielo y una rodaja de limón".

RODRIGO FRESÁN *escritor y periodista*
"Ahí va Federico Peralta Ramos" dijo y –en mi memoria– sigue diciendo la voz de mi padre, hace tantos años, en algún lugar de finales de

los 60 y principios de los 70. Entonces yo tengo unos 7-8-9-10 años o algo así. Y es un radiante sábado por la mañana de otoño. Y es el día y la hora en que los hijos de la *intelligentsia* local son arreados por sus progenitores en una suerte de peregrinación que –se supone– es divertidamente apta para niños pero… Así que ahí estoy yo en algún tramo del recorrido habitual –alguna librería Fausto, la Galería del Este, el Di Tella, el Bárbaro– y ahí está Federico Peralta Ramos. Nombre y apellido que a mí me suenan a patricio, a prócer, a personaje secundario en tapa de *Billiken*, a oveja negra psicodélica de familia bien, de familia muy pero muy bien.

PEPE CÁCERES
En las décadas del 60 y del 70 en Buenos Aires todo era posible.

ESTEBAN ZORRAQUÍN
Decía de sí: "El niño mal de familia bien".

ENRIQUE SCHEINSOHN
Tenía un apellido patricio, pero no hacía ostentación.

RODRIGO FRESÁN
"Federico" es más enorme que grande y en mi recuerdo está envuelto en una especie de abrigo de piel. O tal vez sea una alfombra de oso, quién sabe. Y va hablando solo y a los gritos y revolea un bastón y la gente lo mira y lo escucha divertida. "Ese es el tipo que canta la canción del coso que tanto te gusta", dice mi padre. "Ah", digo yo. Y pienso: "Otro personaje, otro loco lindo". Conozco a demasiados para la tierna edad que tengo y lo cierto es que comienzan a cansarme un poquito. Toda esa fauna y flora. Aunque Peralta Ramos me cae en gracia y me causa gracia. Porque está claro que lo que destaca de él no es su lindura sino su locura. Y la canción "Tengo un algo adentro que se llama el coso" es como si alguien hubiese puesto LSD en el té al que nos invitaba María Elena Walsh. Y al poco tiempo lo veo en el programa

de Tato Bores. En blanco y negro, pero aun así tan colorido como lo vi en la calle. Diciendo cosas raras con una voz como de dopado eufórico y tragando tallarines. Son tiempos en los que la televisión argentina desborda de *freaks* interesantes y no, como ahora, de hienas que gritan y ladran. Ahí están Eduardo Bergara Leumann vestido de angelito, la *troupe* de uruguayos de Hupumorpo, Pipo Pescador, Blackie, Héctor Larrea presentando *El mundo del espectáculo* y contándote entera la película que se emitirá a continuación, la Tía Valentina, Narciso Ibáñez Menta, *Titanes en el Ring*, Jorge Luis Borges entrevistado una y otra vez por Antonio Carrizo hasta acabar configurando un gran dúo, TuSam, Horangel y la incombustible Mirtha Legrand (que los ha enterrado a todos –menos a Horangel– y quien, Chiquita pero expansiva, todo parece indicarlo, nos enterrará a todos).

WILLIE CARBALLO *empresario*
Hace unos años organicé un almuerzo de periodistas en la residencia del embajador suizo. Vino Chiquita Legrand. Hablando de vino, un gallego de Mendoza mandó unas cuantas botellas que crearon un ambiente muy especial. Ya se había hecho tarde cuando una de las invitadas se dirige a Chiquita y le dice: "Ya que estamos, díganos cuál es su secreto", y ella, después de contar lo que cuenta siempre –algo así como "si hoy no te peinás y mañana no te vestís, pasado te morís"–, explica: "Yo soy gánica, como era Federico Manuel Peralta Ramos, de modo que solo hago lo que tengo ganas".

RODRIGO FRESÁN
Y ahí, en la caja boba, el *savant* Federico Peralta Ramos con esa cabeza de querubín y esos ojos bien abiertos de *psycho* que –recién lo relacionaré con el paso del tiempo– preanuncia a Andy Kaufman. La excelencia sublime para ser malísimo o, según sus propias palabras: "Pinté sin saber pintar, escribí sin saber escribir, canté sin saber cantar. La torpeza repetida se transforma en mi estilo". Pero Peralta Ramos –exhibidor de vacas y cenador de beca Guggenheim y destrozador de vidrieras y

fundador de religión y frecuentador de psiquiátricos– fue más que un *Man on the Moon*. Fue más lejos…

GUILLERMO FERNANDO AQUINO

Así como existe el "cable a tierra", Federico inventó el "cable a lejos".

RODRIGO FRESÁN

Fue un "Man on Júpiter" como mínimo. Un desorbitado. Un coso que tenía algo adentro que se llamaba como él. "Soy una estrella porque salgo de noche", aseguraba. Ahora Federico Peralta Ramos es una estrella muerta pero, como sucede con las mejores estrellas muertas, si miramos al cielo su luz todavía ilumina.

MARTA MINUJÍN

En un momento estaba gordo gordo y comía kilos de helado. De pronto adelgazaba cincuenta kilos de un tirón… Creo que se murió por engordar brutalmente y después adelgazar. Por eso decía que era un pedazo de atmósfera.

ALEJANDRO HAZAÑA *fotógrafo*

Lo veía en el cementerio de la Recoleta a fines de los 80 cuando yo bajaba a la bóveda de mis abuelos a fumar charutos. Federico solía estar sentado, por la tarde, en algún banco del cementerio. Un día le propuse que bajáramos a la bóveda. Aceptó, pero no quiso fumar. Recuerdo que me miraba con esos ojos grandes y redondos. Me presenté: "Soy Hazaña". Él contestó: "Soy atmósfera". Empezó entonces una rara amistad en la que me trataba de usted a pesar de llevarme más de treinta años. De ahí pasamos a encontrarnos los viernes a la noche en Liber y Liber. Yo lo invitaba a comer hamburguesas y él solo aceptaba cafés. Un día fui con una pendeja que quedó flasheada con él. Federico la miraba sin pestañear y ella me dijo: "¡Qué presencia!". Esa vez yo estaba haciéndome el galán, así que me despidió diciéndome: "No te hagás el Gardel porque ya te va a llegar tu Medellín". Por aquella época también caminaba con nosotros Guy Williams, el actor de *El Zorro*, que vivía a una cuadra del cementerio. Una vez estuvimos los tres juntos en la bóveda: el encuentro fue un derroche de delirio. Yo me sentía una especie de estrella con ellos a mi lado, fumando entre ataúdes.

OSVALDO CENTOIRA

En una época él participaba de un programa de televisión loco loco que conducía una mujer muy importante... ¿cómo se llamaba? Se pasaba toda la semana pensando en su participación y muchas cosas las preparaba o las mentalizaba día por medio en mi galería, donde mi señora le daba café o yogur. De pronto aparecía en la pantalla con una pava enorme y la revoleaba. Yo me agarraba la cabeza porque siempre estaba a punto de hacer un papelón, pero zafaba.

ALICIA BARRIOS

En 1985 convoqué a Federico para que trabajara en *Noche de brujas*, un programa que yo conducía a la medianoche por ATC. Había varios personajes interpretados por distintos actores: Batato Barea, Divina Gloria, Tino Tinto y el propio Federico, que hacía de gaucho, de hombre de campo vestido con bombachas y sombrero. Leía poemas, inventaba cosas (por ejemplo, una oda a la vaca). Siempre aparecía con una pava gigante y un mate. Era una época divertida y terrible porque, si bien lo pasábamos increíble, vivíamos al borde de la clausura y a cada rato me llamaba el interventor del canal para que, lo digo textual, "sacara a los putos porque a Alfonsín no le gustaban". Los radicales eran ultra pacatos, pero aun así el programa tenía cinco puntos de rating. Federico me llamaba "La Patroncita" porque le daba trabajo. Recuerdo como si fuera hoy su impresionante seriedad profesional, su generosidad, su disciplina, su lealtad y su responsabilidad. Llegaba dos horas antes, se preparaba, ensayaba solo, se maquillaba y se concentraba durante un largo rato. Ganaba bien y eso lo tenía contento, pero no sé en qué gastaba el sueldo ¡porque nunca tenía un mango encima!

GUILLERMO CABANELLAS

No tenía un mango quiere decir literalmente eso: no tenía un mango. Al final de la noche me podía pedir cinco mangos para el colectivo. Era parte de su despelote, lo opuesto a cualquier lógica aristotélica.

ANA GALLARDO

Nunca me quiso levantar. Nos hermanaban otras cosas y siempre sentí un gran amor de él hacia mí. De hecho, cuando yo andaba con problemas financieros, algunas veces me ayudaba con los alquileres. Me daba el sueldo que ganaba en *Noche de brujas* y me decía que no podía perder su espacio de sueño.

MORIA CASÁN *actriz y conductora*

En el 78 yo protagonizaba el primer show que Gasalla hizo en la calle Corrientes. Él quería que la vedette de su estreno en el teatro de revistas fuera yo. Estábamos en pleno año del Mundial y teníamos un éxito impresionante: vendíamos entradas hasta en las escaleras del teatro, que era tipo café-concert y se llamaba Sans Souci (ya no existe más, quedaba frente al Nacional). La obra era muy osada para la época del Proceso. Vestida de Dama Antigua, tenía dos corazones como pezoneras y algo para taparme la vashaina. Hacía un *striptease* sobre una cama redonda y terminaba hablando por teléfono porque no me querían cambiar el colchón. ¡Muy arriba! Llevada a la calle Corrientes, toda esa cosa del café-concert de Gasalla, con guion de Pinti, la rompía. De hecho, hoy el espectáculo sería ultramoderno. Yo lo conocía a Federico de nombre. Siempre fui muy fan de la gente performática y con "oupen maind". Me esperó a la salida del teatro: "Te voy a decir algo... hace mucho que no veo una belleza así... me hipnotizaste, sos como un cuadro... por eso desde hoy te bautizo 'La Mucha'". Sería algo así como la versión criolla de "tú mách". Esa fue la primera y la última vez que hablé con él.

KATJA ALEMANN *actriz y cantante*

La primera vez que lo registré yo tendría 21 años. Recién vuelta de vivir en Europa y vestida con alguno de los camisones de satín antiguos que coleccionaba, entré en un bar y él estaba sentado en una mesa con otra gente. Sin que nos conociéramos me llamó y decretó: "Vos tenés la capacidad de gustar". Me quedé algo perpleja y creo que desarrolló un poco más su idea. Siempre guardé esa impronta de "sanción" con la que decía las cosas. Me caía muy simpático.

JUAN ÁLZAGA
Tomábamos un café en La Biela y de golpe pasó caminando Antonio Gasalla. Federico le dijo: "Antonio, Antonio, haceme una pregunta… preguntame si existe un consolador de oro". Gasalla obedeció y Federico contestó: "Mirá, Antonio, si es de oro, seguro que es consolador".

GUILLERMO FERNANDO AQUINO
Estábamos en una mesa del Florida y Federico dice: "Habría que esculpir un gran consolador de oro". Pier Cantamessa le contesta: "Federico, sea cual sea su forma, el oro siempre es consolador".

CARLOS ÁLVAREZ INSÚA
"Yo soy El Mucho y vos sos La Mucha", eso le dijo Federico a Moria. Íbamos a veces a comer a Los Años Locos, en Costanera, y él la saludaba de lejos y le decía: "Hola Mucha", y ella reaccionaba y le decía: "¿Qué hacés, Mucho?".

GUILLERMO FERNANDO AQUINO
El Gordo bautizó La Mucha a Moria porque él se había autobautizado El Mucho. Creo que se lo dijo en un restaurante de la Costanera.

CARLOS ÁLVAREZ INSÚA
Estaba muy interesado en Egle Martin. La admiraba mucho: una mina popular, vedette y rumbera que se casa con Lalo Palacios, el cajetilla de los cajetillas, y se va a París. Esa mezcla de carne y suceso era algo

muy moderno en los 60. Ella estuvo genial cuando decidió comprar el buzón, cuyo título era "En venta".

ISABEL PALACIOS

Fue papá quien compró el buzón colorado: decía que así nadie más le metía un bolazo. Estuvo siempre en el living de su casa. Era un buzón verdadero, de correo, y no sé si Federico lo mandó a hacer o lo arrancó de la calle.

GUILLERMO FERNANDO AQUINO

El buzón lo mandó a hacer a una carpintería. Les dijo "hagan así, hagan asá". Nono Pugliese, el marido de Claudia Sánchez, se dedicaba a la publicidad y le ofreció a Federico realizar unas réplicas del buzón en un tamaño reducido porque pensó que se venderían como pasto. Al Gordo no le interesó la idea: él no entraba en lo comercial, la guita no le interesaba. Además, le parecía una idea menor, digna de un publicista.

FERNANDO PUGLIESE

Aparece Federico y me pide que le haga un buzón. Fabriqué uno inglés, pituco, que todavía alquilo para fiestas. Y él me dijo que buscaba otra cosa, uno idéntico al de la esquina de La Biela. Al final se las rebuscó para que alguien se lo hiciera. Decía: "Soy el único tipo que pudo vender un buzón". Y era bastante cierto.

NORBERTO GÓMEZ *artista*

Era una persona que tenía luz, un tipo muy lúcido. Recuerdo que hizo un cuadro muy grande, blanco y con fondo liso, en cuyo centro escribió, chiquito y con birome, "Soy un ser insignificante". Además conozco a quien compró el buzón: venderlo era "tragar las palabras".

PEDRO ROTH

Cumplió el sueño de todo porteño, vender un buzón. Lo exhibió en

Esta fotografía de la colección privada de Rafael Bueno es una de las poquísimas en que se lo ve a Federico Manuel junto al mítico buzón que logró venderle a la vedette Egle Martin.

la sala de Álvaro Castagnino junto a otros objetos –un teléfono en una campana de vidrio, y el casco del corredor Andrea Vianini, creo– y se lo vendió a Egle Martin, a quien quería mucho. Sin embargo, fue un sueño realizado a medias porque ella nunca se lo pagó. Todo eso tenía un tinte humorístico, pero en el fondo era una cosa seria que tenía que ver con algo pensado. Federico no era un payaso; de hecho, si lo tomabas en serio era muy enriquecedor. No era el loco lindo que decían que era. Tomárselo así es demasiado facilista y desvaloriza lo que daba todo el tiempo. No era un personaje sino alguien peculiar.

ZELMIRA VON DER HEYDE DE PERALTA RAMOS
Del buzón siempre decía: "Soy la única persona que pudo vender un buzón". La frase resultaba más fuerte que la obra.

ALBERTO DÍAZ NAVARRO *arquitecto*
Se había medio enamorado de mi mujer Kinucha Mitre, que en aquella época estaba casada con Fernando Lamarca. La cuestión es que le regaló un colchón de poliéster de dos plazas intervenido con un montón de frases y la obligó a colgarlo en el living. También recuerdo la Parrilla Rosa, el restaurante de Elena Goñi sobre la calle Uriburu que con el tiempo se convirtió en El Burladero. Allí una noche, en una mesa grande que compartíamos entre otros con Emilio Pastor y Graciela Borges, me tocó sentarme al lado de Federico, que se la pasó diciendo: "La gente no va más a la Costa Azul, ahora va a la Costa Méndez". En un momento me levanté y me fui porque no paraba de repetir esa frase, que tenía que ver con Nicanor Costa Méndez, Ministro de Relaciones Exteriores durante la Guerra de Malvinas.

CARLOS ÁLVAREZ INSÚA
El estereotipo y la repetición son parte del concepto.

GRACIELA BORGES *actriz*
Ese Federico… ¡que no será Lorca, pero era un genio!

MARIO SALCEDO

Una vez fuimos a Pasarotus, que después se llamó La Cueva. Gracielita Borges era muy joven y había trabajado en una o dos películas. Llegó la policía y empezaron a llevársela cuando dijo, con su tono de voz tan particular, "Soy Graciela Borges". Peor: le metieron un garrotazo en la cabeza. "Usted se equivoca, señor, le está pegando a la joven historia del cine", le dijo Federico al policía. Entonces la soltaron, todos se pusieron a aplaudir y el Gordo cantó "La hora de los magos". Qué capo De la Vega, ¿no? Ese tema es para ahora. Lo mejor de nosotros, los argentinos, se quedó colgado en el tiempo.

CRISTINA OLIVEIRA CÉZAR *intelectual*

Lo conocí bastante bien: era ligeramente cruel y psicótico. Prefería los cuentos sobre él que estar en su compañía. Su etapa más creativa fue cantando las composiciones geniales de Jorge De la Vega.

ALEJANDRO AGRESTI

Le gustaba el cine clásico y de sí mismo decía, a veces, "Soy Richard Burton". Hablábamos de directores como John Ford, Billy Wilder, John Wayne o William Wyler. De Antonioni, ni pensarlo.

GUILLERMO KUITCA *artista*

Siempre era hermoso cruzarse con él.

JACQUES BEDEL *arquitecto y artista*

Solo llegábamos a la categoría de "amigotes". Era un tipo indudablemente original e inteligente, pero confieso que me irritaba un poco su interminable postura de querer estar de vuelta de todo. Eso ya lo había hecho Dalí cincuenta años antes, aunque con un respaldo descomunal.

PEDRO ROTH

Éramos amigos desde el Di Tella y andábamos por todos lados juntos. "Te invito a tomar un café al Alvear", me decía.

OSVALDO CENTOIRA
Llegaba en taxi al Hotel Alvear y le pedía prestado al diariero para pagar el viaje.

PEDRO ROTH
Tenía convencido a un vendedor ambulante de que eran socios. Nos reuníamos en la puerta del Alvear con el diariero Elías, el pianista Mario —tocaba en el bar, pero nadie lo escuchaba porque era música de fondo— y el botones, que andaba de galera. El cafetero nos servía café gratis en vasitos de plástico. Entonces Federico, que siempre tenía ideas mesiánicas y había creado una bolsa de valores en base a gente famosa, nos preguntaba si él estaba en alza o en baja.

NANÁ GALLARDO DE POLESELLO
La típica: en cualquier restaurante argentino los comensales se dan vuelta cuando se abre la puerta para ver quién acaba de entrar. Federico decía que era porque estaban esperando al Mesías.

PEDRO ROTH
Me llamaba y me decía: "Tengo ganas de salir a trabajar con vos". Yo soy fotógrafo de obras de arte. Salíamos en mi Citroën. Me acompañaba, íbamos charlando. Un día hablábamos sobre Dios y la conclusión fue: "Dios, al final, no es ningún boludo". Yo bajaba, hacía mis cosas y él me esperaba en el auto comiendo naranjas con cáscara o manzanas. Si bien no lo leyó —no leyó casi nada—, se parecía a Macedonio Fernández y tenía como un recorrido. Era un sabio ignorante: sabía muy poco, pero lo intuía todo.

LAURA BUCCELLATO
Federico leía, ¿eh?, algo leía. Eso que cuentan que en el Florida miraba los libros que había en las mesas y pedía que se los resumieran tiene un ida y vuelta: quizá quería saber qué había entendido aquel lector.

MARC CAELLAS *director de teatro y escritor*
Una vez leí una entrevista que le hicieron en *Primera Plana* en la que decía: "Nunca leo porque me cuesta mucho leer; vivo solamente de lo que me voy dando cuenta".

RAÚL SANTANA
"Todo el poder a Santana", decía. Yo le preguntaba por qué y él contestaba: "La yeca sin los brolis es una mierda; y los brolis sin yeca son una mierda".

LAURA BUCCELLATO
En él había siempre un hilo muy finito que rozaba la ironía sutil o la broma; nunca sabías si te estaba tomando el pelo, pero con mucho respeto. Por eso uso la palabra "bonhomía" para referirme a él.

LORETO ARENAS *galerista*
Como Federico no trabajaba, el padre le daba una mesada que él gastaba en dos minutos convidando a todo el mundo. Entonces le pedía prestado al diariero del Alvear y, cuando cobraba de nuevo su mensualidad, volvía al puesto para pagar sus deudas exclamando: "He venido a dar la cara".

PEDRO ROTH
El director de la revista *La Semana* lo contactó para que escriba unas columnas y él le contestó: "¿Me estás proponiendo que yo trabaje?". El hombre dijo que sí y Federico agregó: "Te advierto que no soy un hombre lógico", a lo que el tipo replicó: "De hombres lógicos tengo tres roperos llenos".

GUILLERMO CABANELLAS
Él escribía columnas en *La Semana*, la revista de Jorge Fontevecchia. Federico me contó que lo fue a ver y le dijo: "¿No te parece que lo que escribo es muy loco?"; Jorge le contestó: "Está muy bien así, de tipos lógicos estoy harto".

CLAUDIO IGLESIAS *crítico de arte y editor*

Lo que más me interesa de Federico Manuel Peralta Ramos es la columna que escribió en *La Semana* entre diciembre de 1982 y abril de 1983, en uno de sus momentos de mayor notoriedad pública. Otros artistas del Di Tella como Marta Minujín también lograron pasar a los medios masivos, pero Peralta Ramos lo llevó a cabo con un programa propio: en sus artículos incluso hizo una autocrítica del narcisismo de su generación. En uno decía que "en los 60 teníamos el mandato de la destrucción" y que, después de la dictadura, había que pasar de esa actitud rupturista a la tarea opuesta de unir los fragmentos de una sociedad quebrada. Y la forma de hacer ese trabajo transpersonal, casi psicomágico, tiene que ver con juntarse a hablar, con reunirse. Si consideramos a Peralta Ramos como el heredero del neodadaísmo local à la Greco, él reaparece en este momento como un artista empático que, al hablar de sí, está pensando en los demás, está poniendo la oreja. En los textos va hilando charlas con amigos, cosas que se dicen en la ciudad —como contraposición, recuerda la calle Florida vacía durante la dictadura–, y se despliega en un rol más vincular, de tejer relaciones. Son piezas que además lo extraen de la discusión de calesita de la historia del arte argentino y lo acercan a las grandes etnografías urbanas por la diversidad de factores que engloban (música, moda, cine, política, arte, deporte, celebridad, turismo, vida nocturna, magia...). Buenos Aires, la "ciudad que adelanta", a principios de los 80 necesita recuperar la autoestima y Peralta Ramos está dispuesto a encarar la tarea: por una vez me lo imagino arremangándose.

MIGUEL SCHAPIRE

Federico hacía gala y exhibición del hecho de que era cadete de una farmacia (en cinco esquinas, que no existe más). "Me encanta llevar remedios y darle buena onda a la gente", decía. Si uno le comentaba que se trataba de una pérdida de tiempo para sus propósitos artísticos, él replicaba diciendo que se divertía horrores, que tocaba el timbre y conocía el barrio.

OSVALDO CENTOIRA

A veces venía y me pedía $200, que en aquella época era mucha plata, como $3.000 de hoy. Al tiempo me cruzaba por la vereda y me gritaba "¡Osvaldo, te debo $200!". Cosas así pasaban permanentemente. Decía: "Pago mis deudas para poder pedir de nuevo". Jamás tenía guita y cuando la tenía, la gastaba. La renta que le daba su familia a veces le duraba todo el mes, a veces un día.

GUILLERMO FERNANDO AQUINO

Habitualmente nos encontrábamos a las siete en el Florida Garden y ahí lo ayudábamos a pensar cosas para el programa de Tato Bores. Una tarde cualquiera de invierno quedamos Federico y yo solos. Él tenía un rollo de papel atado con una gomita. Entonces se hizo la hora de comer y salimos en dirección del Tronío, que quedaba en Reconquista entre Paraguay y Charcas. Era una parrilla chiquita, atorranta, simpática. Recuerdo que hacía un frío de la puta madre. Pasamos por la puerta y el boliche estaba lleno, con los vidrios empañados. Le propuse a Federico que fuéramos a otro restaurante, a media cuadra. "Esperá un minuto", me dijo. Entró en el Tronío y yo me metí detrás de él para no congelarme. Los habitués de las quinces mesas estaban calladitos, comiendo. El Gordo se paró en medio del lugar y con el vozarrón que tenía exclamó: "Hoy he venido a mostrarles la cara de Dios". La gente dejó de comer sus bifes y se produjo un silencio muy incómodo. Desplegó el rollo que tenía en la mano: apareció la cara de Frank Sinatra y agregó "yo, como él, le voy a pedir a la vida otra oportunidad". Entonces se puso a cantar "A mi manera". Cantaba como el orto, desafinando: "Estoy mirando atrás/ y puedo ver mi vida entera". La cantó de punta a punta y cuando terminó dijo: "Esto era todo lo que quería decirles en la noche de hoy". Nos dimos media vuelta y nos fuimos a comer como si nada.

PACHI FIRPO

En Áfrika cantaba "El gusanito" con Ringo Bonavena, que tenía una voz finita y decía siempre: "Soy una estrella porque salgo de noche".

MARIO SALCEDO

Bonavena estaba enamorado de Federico y le decía: "Gordo, haceme un autógrafo".

PACHI FIRPO

La otra canción que adoraba era "A mi manera". Una vez fuimos a una fiesta vestidos de smoking y al día siguiente tuvimos que rendir un examen y caímos así. Creo que los zurdos nos querían matar. Disparates como ese pasaban todo el tiempo con Fede.

GABRIEL LEVINAS

No tenía voz, pero era absolutamente entonado. Cantaba con muchísimo gusto y con el ritmo bien puesto. No fallaba una nota y eso considerando que lo hacía siempre a capela.

DANIEL KON *periodista, guionista de cine y manager de rock*

Mis primeros pasos en el periodismo los di a mediados de los 70 en la revista *Siete Días*. Junto a diversos amigos escritores, como Jorge Di Paola o Miguel Briante, solíamos terminar la jornada de laburo en el Bárbaro, que quedaba al lado de la redacción. Entonces, yo era un pendejo de 18 años que descubría los últimos coletazos de la bohemia porteña. Hay un recuerdo vívido que me remite a la felicidad y que asocio con mi entrada en la juventud: Federico corre los maníes y las copas de la barra del bar, que estaba lleno de gente, y se sube a recitar "Soy un pedazo de atmósfera". Estamos en plena dictadura y esa imagen representa una puertita a la libertad en medio de la opresión. Federico era de una enorme generosidad y enseguida se ponía a ofrecer su arte. Hoy sería, creo, un artista de las redes.

MARIO SALCEDO

En el libro de visitas de Barbudos escribían todos, desde Djavan hasta jugadores de fútbol pasando por Manucho, Charly, Amelita Baltar, Aldo Paparella, Darín, Bill Evans o Jorge Corona. Federico escribió varias frases. El 31 de diciembre de 1983 anotó: "En la Argentina, a medida que el peronismo llegó a su 'fin', cerró Bachín, ganó Alfonsín y rompió las pelotas Marta Minujín". Otra vez, debajo de un mensaje de Luisa Valencia (era la primera bailarina de *Hair* y se lo garchaba al Gordo: las minas se lo garchaban a él) que decía: "No hay que quedarse pues Dios existe", él contestó escribiendo: "Gracias por esta estampa, Dios te bendiga, besotitos". Y agregó: "Ahora ha llegado el momento de la EXAGERACIÓN. Soy consciente de mi aparición en este sistema solar, traigo algo muy concreto que visitará el alma de sus habitantes. Mi misión consiste en hacerles ver que todos nosotros tenemos un 'FIRMAMENTO INTERNO': es una cosmovisión, es el endocosmos, es el intrauniverso, es como una noche estrellada que vos tenés adentro, es el DIOS interno que todos tenemos adentro" y firmó poniendo: "Abrazo gordo".

PEPE CÁCERES
Tenía una especie de ranking de personas: los que habían perdido el firmamento interno, los que se habían entregado al sistema.

PATRICIA RIZZO *editora y crítica de arte*
Trabajé en la galería Ruth Benzacar del 88 al 93. Quedaba al lado de la Galería del Este y Federico pasaba todo el tiempo a visitar, a tomar un cafecito. Recuerdo perfecto un día en que vino muy deprimido y dijo "Necesito el abrazo de una mujer". A falta de una éramos tres, así que lo abrazamos, lo agarramos y lo apretujamos.

SEBASTIÁN PERALTA RAMOS
Un día agarró una hoja membretada de mi viejo y puso: "Un abrazo gordo".

JUAN JOSÉ CAMBRE
En el 77, en un encuentro en el Florida Garden (donde él hacía unas especies de encuestas: llegaba y te decía: "A ver, Marta… ¿genio o

no genio?; y Yuyo… ¿genio o no genio?"; así subía y bajaba algunos copetes), sacó una postal coloreada de la Plaza de Mayo vacía y en el dorso escribió: "Hay que llenarla". La firmó y me la regaló.

BOBBY FLORES
En Barbudos alguien propuso desalojar la Plaza de Mayo y a Federico la idea le pareció genial. El tipo que tuvo la propuesta dijo: "Si llenamos la fuente de la plaza con laxantes, las palomas van a tomar agua de ahí y van a cagar tanto, que lo harán encima de la gente". Federico Manuel lo miró fijo durante quince segundos y le contestó: "Brillante, pero policialmente poco potable".

ELOÍSA SQUIRRU
Otro fragmento de mi biografía *Rafael Squirru*: "Pasaba todos los días por el Joanna, el bar donde me reunía con mis amigos, y me preguntaba: 'Rafael, ¿tengo vigencia?'; 'Sí, Federico, tenés vigencia', le respondía".

ESTEBAN ZORRAQUÍN
De pronto me preguntaba: "¿Qué te parece Tato Bores, está vigente?". Yo tenía once años y él quería saber qué opinaba. Fue su última participación en el programa y creo que estaba medio reticente a trabajar ahí. Se desmayó bailando "El Danubio azul" con Tato. Después de eso recuerdo que lo fuimos a visitar al CEMIC y él decía: "Che, ¿no estuvo bueno 'El Danubio azul'?". Tenía muchísima personalidad, pero necesitaba aprobación. A veces él mismo, cuando terminaba de cantar o de recitar, decía: "¡Bien, Federico!".

LUIS JUÁREZ *mozo de La Biela*
Venía siempre y se juntaba con el grupo de Luis Rusconi. Como en general no tenía plata, pedía prestado y después, cuando cobraba la mensualidad que le daba la familia, se la gastaba en un día. Él nunca decía: "Voy a comer tal cosa", sino que en la mesa preguntaba: "Luis, ¿puedo comer un sándwich de lomo?". Y si Luis le decía que

sí, entonces lo pedía. Éramos amigos del Gordo Broda, que tenía un taller mecánico de chapa y pintura atrás del cementerio. Cada 22 o 23 de diciembre comíamos un asado ahí. A Federico le armábamos un escenario y él cantaba ese chamamé que decía "en una pelota de cuero mandamos tres gauchos a la luna". Más que un loco, era un personaje. Tal es así, que Facundo Cabral cantaba: "Todos nos dicen que somos locos, pero Federico Peralta Ramos dice que somos chicos diferentes".

PEDRO ROTH
A la noche iba a Karim. Yo no lo acompañaba a esos lugares. También visitaba Can Can, Mau Mau o Colmegna, donde estaba becado y entraba gratis. Era noctámbulo. En Karim cantó "La hora de los magos", de Jorge De la Vega, y todos los gánsteres se largaron a llorar como bebés. Una noche estaba en Can Can y vino un mafioso desde otra mesa a elogiarlo: "Federico, sos un hijo de puta… divino".

JOAQUÍN MAURI *mozo de La Biela*
Entraba por esa puerta, que era la única que existía en aquella época, cuando La Biela se dividía en restaurante y confitería hasta que se remodeló en 1994. Venía a la tardecita y siempre pedía un helado. En la pared hay un poema que le dedicó Gogui –un cliente de toda la vida– en el que se lee que pedía "un helado, una soda u otra manía". A Federico lo recuerdo como un bonachón.

PEDRO ROTH
Tenía esa cultura del café, de pescar lo bueno para repetirlo, del humor oral y rápido. Así era Facundo Cabral, que venía muy de abajo y necesitaba cemento en la columna vertebral. Federico, sin embargo, decía: "En mi vida me la pasé bajando del palco mientras todo el mundo quiere subir; la verdad es que en el palco no hay nada, pero no lo digamos porque, si no, se termina el movimiento".

RAFAEL BUENO

Me invitaba a almorzar al taller mecánico de Broda, que arreglaba los coches de su familia. Quedaba en la esquina de Paraná y Arenales. Uno de esos mediodías, tal vez el más importante que me tocó vivir, Federico Manuel armó –con el permiso del señor Broda, claro– un asado enorme al que vinieron Marta Minujín, Antonio Berni, Rafael Squirru, Raúl Santana, Pier Cantamessa y toda la banda del cabaret del pasaje Seaver.

MARIANO LLINÁS *cineasta y escritor*

En una época vivíamos en la esquina de Paraná y Arenales, frente a la plaza Vicente López, en el 1º C de un gran edificio antiguo. Cierta vez escuché que alguien gritaba "¡Llinás, Llinááás, Lináááás!". Los gritos subían desde la plaza. Mi padre abrió la ventana y vio a Federico Manuel Peralta Ramos parado en la vereda de enfrente: "Decime, Llinás, ¿no es verdad que yo soy patafísico?". Mi viejo contestó: "Sí, Federico, sos patafísico", a lo que el hombre, antes de partir, replicó: "Ah, menos mal". Pensando en voz alta creo que quien hablaba así, como Federico Manuel, era Alfred Jarry. En la novela *Los falsos monederos* Gide se refiere al timbre de voz aburrido y estentóreo del creador de la patafísica.

GUILLERMO FERNANDO AQUINO

Nos cagábamos de risa en Can Can, el cabaret que quedaba en el pasaje Seaver, donde ahora hay una Shell, un estacionamiento y varios restaurantes. Era una calle de empedrado que moría en dos escalinatas que daban a Posadas. El primer travesti conocido de Argentina trabajó ahí. Era negro y medía dos metros ¡como un zulú!: imposible confundirse, aun con cinco toneladas de whisky encima.

PEDRO ROTH

En Can Can actuaba con una negra a la que un día le preguntó si le gustaría ser presidente y ella le respondió: "No, acá saco más".

Foto tomada por Rafael Bueno en un asado que tuvo lugar en el taller mecánico del "Gordo" Broda y al que Federico Manuel invitó, entre otros, a Marta Minujín y Pier Cantamessa.

GUILLERMO FERNANDO AQUINO

Como no tomaba alcohol, el Gordo invitaba a amigos a que lo vieran cantar. Lorenzo Falla era el dueño de Can Can y su mujer, Renner, trabajaba ahí como bailarina. Al lugar iban los maridos de señoras a los que veías en misa todos los domingos. Entresemana, los tipos se escapaban al cabaret, que era un lugar de cuarta. El cubano Humberto Bello cantaba danzones y boleros y Federico lo imitaba un poco, para aprender.

BEATRIZ CHOMNALEZ

Su padre lo tenía cortito y no le gustaba nada lo que hacía. Una vez Federico interrumpió un almuerzo familiar para anunciar que diría algo muy importante. El padre le preguntó qué era y él contestó: "Quiero un plato más de fideos". Era brillante y generoso, pero estaba muy rayado, ¿eh?

JUAN CARLOS KREIMER *periodista y escritor*

Sería el 65 y lo encontramos a la salida del Palais de Glace discutiendo con un policía que no lo conocía. El tipo le preguntaba quién era y él le respondía en su lenguaje metafórico-visionario. Al vernos abandonó el diálogo con el agente y siguió caminando con nosotros hasta Rodríguez Peña. Llevaba un paquete de fideos y nos invitó a almorzar con su novia Sarita. Subimos y el departamento estaba inundado: ella había cortado la luz y el gas. Además, estaba descompuesta o exhausta y armó un escándalo cuando nos vio llegar. Él se puso a cocinar, se quemó con agua hirviendo, se le pasaron los fideos, no tenía latas de tomates para el tuco... Creo que pasó algo más, pero al sentarse empezó a reírse y dijo con su voz profética: "Cuando las cosas vienen mal, que vengan todas de golpe; las buenas, poco a poco". No recuerdo si fue ese día u otra vez que, después de sacar muchos restos de comida de la heladera y volcarlos en una fuente, le escuché decir: "Lo que más me entusiasma es pasar de un gusto a otro diferente, y a otro, y a otro, desacostumbrar el paladar a más de lo mismo".

En 1979 se llevó a cabo "La fiesta del dólar" en la mítica *boîte* Regine's de Recoleta y Federico Manuel no se la perdió. Marta Minujín aparece a la izquierda disfrazada de billete, en el centro está el relacionista público Javier Lúquez y delante, Pata Villanueva (Daniel Merle / Instituto de Investigación en Arte y Cultura Dr. Norberto Griffa).

MARTA MINUJÍN
En la época del Di Tella era un niño bien vestido de traje y corbata, muy buenmozo. Estaba de novio con Sarita Seré, una morocha de ultra clase alta, lindísima, flaca, elegante y mucho mayor que él. Fue el amor de su vida.

SEBASTIÁN PERALTA RAMOS
Era mi cumpleaños. Llegué al escritorio y Silvia, la secretaria, me contó que había pasado mi hermano y me había dejado un mensaje. "Anote", le dijo, y ella anotó: "El mundo no se divide en ricos o pobres, se divide en seres bienamados o malamados... el poder total lo

tiene un ser bienamado, todo lo que hacemos en la vida es para recibir un poco de cariño; yo lo llamaba en la tarde de hoy para decirle feliz cumpleaños y tirarle buena onda". Es la obra más emotiva que tengo de él.

SILVIO FABRYKANT
Juanca, que trabaja conmigo en el estudio desde hace treinta años, también lo recuerda.

JUAN CARLOS CASAS *fotógrafo*
Una vez fuimos a cubrir un evento para la revista *First* en el Hotel Alvear. Hacíamos fotos de la gente que iba llegando y en un momento Federico me mira y me dice: "Los pobres no saben combinar los colores".

RENATO RITA
Nada más irresistible que sentirse amado.

GABRIEL LEVINAS
Federico pintaba con mucha calidad. Era bueno. A veces un abstracto, a veces un informalista. Una obra suya se llamaba "Yo ando en zapatillas": creo que la mandó a un concurso y se la rechazaron. Se sentía muy bien cuando lo rechazaban.

PATRICIA RIZZO
Cuando fui jurado de un Salón Nacional encontré, en el depósito del Palais de Glace, una frase de Federico enmarcada que tenía, en el dorso, una etiqueta de otro premio en el que se había presentado. En la etiqueta se leía su nombre, la dirección de su casa y la valuación: un millón de dólares. Por supuesto, el cuadro fue rechazado. Me parece que él sabía que eso iba a pasar, pero yo sentí que presentarse para que lo rechazaran era, precisamente, la acción. Nuestro país es muy surrealista y él era totalmente así en su accionar. Esa condición nos define como argentinos, de modo que Federico es cada vez más

importante y creo que algún día aquel cuadro debería valer un millón de dólares.

MARIO SALCEDO
"¿El Niño Federiquito ha venido ya?", preguntaba Borges. "No, debe estar en el Florida", contestaba yo. Y el viejo: "Ese lugar *snob*". El Gordo era un niño grande. A Barbudos Borges venía seguido. Cuando terminaba de tomar café, El Niño Federiquito y él hablaban un rato. El Gordo es un ícono de una época muy importante de la cultura argentina. Impuso un surrealismo en el comportamiento humano: almorzar a las diez de la mañana y cenar a las tres de la tarde. Fue educado por el surrealista Aldo Pellegrini, que fue uno de los grandes y hoy nadie habla de él. Fanático de su obra, el Gordo era un tipo serio. La gente lo tomaba en joda, pero él era serio-serio.

GUILLERMO FERNANDO AQUINO

Organizó una muestrita en la galería Hache con las obras que les rechazaron a Borobio, a Abril y a él en el Salón Nacional: se llamó *3 rechazados contentos 3*. Otra muestra que recuerdo es la que hizo en 1976 con Antonio Berni y de la que estaba muy orgulloso. Se llamó *Creencias y supersticiones de siempre* y fue en la galería de la chilena Carmen Waugh. En la tapa del catálogo aparecían los dos arriba de un mateo.

PEDRO ROTH
Para la foto del afiche se me ocurrió decirles a Berni y a Federico que se subieran a un mateo. Los retraté en la Avenida del Libertador, con el Monumento a los Españoles de fondo.

PEPE CÁCERES
Si hay alguien que no era boludo, ese era Berni, y Berni respetaba muchísimo a Federico.

Afiche de la muestra *3 Rechazados Contentos 3* que inauguró en 1975 en la
galería Hache y en la que los artistas expusieron la obra que les rechazaron
en el Premio Salón Nacional. La foto es de Pedro Roth y en ella aparecen el
propio Federico Manuel junto a Juliano Borobio y Sergio Abril.

CREENCIAS Y SUPERSTICIONES
DE SIEMPRE

BERNI-PERALTA RAMOS

dúo para el recuerdo en el último mateo

EXPOSICION EN GALERIA CARMEN WAUGH
FLORIDA 948 - BUENOS AIRES
DEL 22 DE JUNIO AL 8 DE JULIO DE 1976

"Creencias y Supersticiones de siempre" es una muestra objetiva de sentimientos, emociones, dolores y miedos reflejados a través de imágenes creadas o recogidas en el ámbito popular. No es una crítica, ni tiene otra intención que de presentar fenómenos espirituales divulgados en todo el mundo, reflejos de lo subyacente en la conciencia colectiva angustiada muchas veces por la ignorancia del misterio vida-muerte o el desamparo y la impotencia frente a ellas.

Antonio Berni

HORARIO: DE 11 A 13 Y DE 16 A 20
SABADOS: HASTA LAS 13

Afiche de la muestra *Creencias y supersticiones de siempre* que inauguró en 1976 en la galería Carmen Waugh. Fotografiados por Pedro Roth, los artistas Antonio Berni y Federico Manuel Peralta Ramos posan al mando de un mateo en la avenida Libertador.

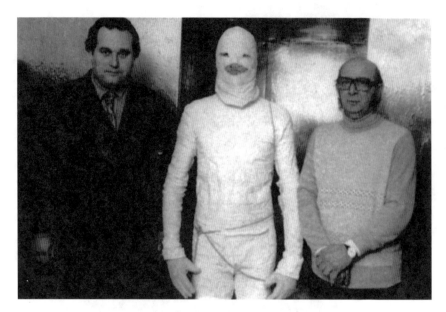

Junto a Ithacar Jalí disfrazado de momia y Antonio Berni para la muestra *Creencias y superesticiones de siempre*. (Crédito: Centro Cultural Matta)

GUILLERMO FERNANDO AQUINO

En esa muestra Antonio expuso una ambientación sobre La Difunta Correa y el Gordo, *La tumba de Tutankamón*: se trataba del pintor, bombero voluntario y ctólogo Ithacar Jalí disfrazado de momia, metido en un cuarto forrado de papel dorado con un colchón, como si fuera un sarcófago, desde donde respondía las preguntas del público. La noche de la inauguración, un tipo contratado anunciaba a los gritos los nombres de las celebridades que iban llegando.

MARIO BRODERSOHN *economista, fundador de la galería Tema*
En la década del 80 mi amigo David Scheinsohn y yo pusimos en marcha la galería Tema en Viamonte y Florida. Federico expuso allí una muestra individual en la que mostró una franja de papel de un metro de alto que cubría las cuatro paredes de la sala. Como sucede con los

artistas creativos que rompen con el statu quo, no vendimos nada. Mientras duró la exposición, Federico pasaba a la tarde por la galería, pedía una birome y hacía una marca sobre el papel. Luego se alejaba de la pared, se me acercaba, solía decir seriamente: "Ahora sí que es una obra de arte" y se retiraba hasta la tarde siguiente.

WILLIE CÚNEO
Mario Brodersohn me contó que Federico iba cada tarde a la galería Tema y agregaba un punto, hasta que armó toda una serie.

RICARDO ROUX
En 1987 estaba preparando un cuadro para el Salón Belgrano, cuyo segundo premio había ganado el año anterior. Aparece Federico por el taller y me dice: "Vos sos un tiburón, te hace falta el pez piloto: yo te voy a sacar del segundo premio... a ver, prestame el pincel". Yo tenía una brocha grande, con rojo, y "pá pá", le pegó dos golpes al cuadro y lo tituló "Algos". ¡Gané el primer premio!

CARLOS ÁLVAREZ INSÚA
Federico tuvo un alto nivel de circulación nocturno y recién aflojó su sistema de bares bastante previsible cuando murieron los padres. El bar de la Galería del Este, el Florida, La Rambla y La Biela (más La Rambla que La Biela): cualquiera que anduviera por ahí pudo haberlo visto e incluso interactuado con él. Yo lo conocí en mi adolescencia porque oí hablar de él y lo he llegado a ver en Barbudos. Estaba todos los días ahí.

JULIO SUAYA
Su actividad era recorrer Buenos Aires a pie y reflexionar. Así como tenía la frescura y el encanto del niño, había una intención en cada cosa que decía.

BOBBY FLORES
Federico era muy callejero, siempre te lo encontrabas en la calle.

MARIO SALCEDO

Abría el boliche y a las nueve de la mañana Federico ya estaba acá. Se quedaba hasta las cinco y media, seis.

CARLOS ÁLVAREZ INSÚA

A través de Mario nos sentamos algunas veces juntos, pero en ese momento no éramos amigos. Luego me mudé a Posadas y Ayacucho, cerca de su casa, y empecé a ser uno de los múltiples tipos que desayunaban solos en La Rambla. Ahí sí, nuestras alocuciones eran más fluidas. Yo tenía un intimísimo amigo, Luis González Balcarce, primo hermano suyo por el lado materno. Algún día le hablé de Luis a Federico y entonces empezamos a tener un vínculo más personal. Fuimos muy amigos durante siete u ocho años. Nos encontrábamos en La Rambla a la mañana, después yo me iba trabajar y volvíamos a encontrarnos en La Rambla a la nochecita. Era un lugar raro: atendían Pepe, un mozo gallego deslumbrante, y Eugenio, un mozo fantástico que es un cowboy, un pibe duro.

EUGENIO GONZÁLEZ CERDEIRA *mozo de La Rambla jubilado*

Me devano los sesos pensando en algo referido a Peralta Ramos que sea de interés y en eso estoy, de cierta manera, invalidado, porque yo era quien lo atendía como camarero en La Rambla, donde trabajé entre 1968 y 2018. En esas inmediateces no era posible ahondar en sus pensamientos porque sencillamente no había un diálogo interesante, sino rutina pura. La única persona que puede describir los pormenores de sus pensamientos es Marta Minujín: eran muy amigos. Federico tenía modales correctos y amables; en los 70 pedía champagne o whisky y terminaba yendo a Bwana o a Áfrika, boliches que quedaban cerca. Luego cambió sus hábitos y pedía bebidas livianas, como agua o gaseosas. Al principio lucía un buen ambo que remataba con distintos moñitos al cuello; después dejó de lado esa excentricidad y vestía cómodo, tipo sport urbano de señor mayor. La mayoría de las veces compartía mesa con amigos y conocidos que nunca le faltaron porque era famoso, afable y seguramente muy grato conversar con él. No tuve ese privilegio, pero sí el de haberlo tratado para llevarle innúmeros pedidos a su mesa... ¡como a muchos personajes de todos los rubros!

CARLOS ÁLVAREZ INSÚA
La Rambla era un lugar de carcamanes mezclado con la previa de Bwana y África –de modo que había chicas muy *hot*, los ver-y-ser-visto de todo Buenos Aires tomando whisky JB (esa marca, no otra) en vaso largo– y corredores de TC como Cocho López o Ponce de León. Eso fue en 1984. Bwana había declinado y África era grasa, pero había que ir para estar, circular y ver a Monzón, Vilas o Bonavena, y también a algunos chetos *playboy* como Larreta o Bob Vázquez Mansilla interactuando con ellos. Los grandes deportistas rompían todas las barreras sociales, al punto de que Monzón, si quería, se hacía socio del Jockey Club.

COCHO LÓPEZ *ex piloto*
A fines de los 70 Patricio Peralta Ramos, primo hermano de Federico y dueño de *La Razón*, contrató a Oreste Berta para que hiciera un sport prototipo, un auto de carrera que se presentaría en la temporada internacional. El loco de Federico me tenía como el pichón de los corredores, un bebé irreverente de Mataderos. Nos juntábamos en La Rambla con la banda "tuerca" –Chapo Menditeguy, Rolo Álzaga, el Tano Vianini, el Gordo Sauze y el Lungo Rivera, entre otros, con los que después caíamos en África o en Bwana– y me cargaba diciendo que yo tenía que manejar el auto del primo. A sabiendas de mi juventud y de mi falta de experiencia como piloto, apostamos a que si Berta me elegía, lo llevaría de acompañante. Estuvo un mes pidiéndole a Patricio que me pusiera de piloto, pero no funcionó.

GABRIEL LEVINAS
No discriminaba. Entraba en un cabaret, cantaba "A mi manera", le daban unos mangos y se iba. Jamás tenía efectivo encima. Yo lo invitaba

en La Martona o en La Rambla y él se sentía en deuda, por eso me invitó una vez a la peluquería, cuyas cuentas pagaba el padre. Cierta vez se impresionó mucho con un mozo de La Rambla. Todos hablaban del primer ganador del Prode, que había embolsado lo que hoy sería un palo verde. Creo que se llamaba Jesús y Federico le preguntó: "¿Qué harías si te ganás el Prode?". El tipo le contestó: "Compraría un departamento acá en frente, el más alto, y un telescopio para mirar lejos". Quizás ese haya sido el punto de partida para que Federico escribiera el poema "Lejos", donde se lee "a veces veo claro". Él generaba ese tipo de respuestas. Aseguraba el dato y lo hacía con humor porque de esa manera volvía.

RAÚL NAÓN

Tengo una versión impresa del poema "Lejos" que les compré a los herederos de Pier Cantamessa; en el dorso, Federico escribió una dedicatoria: "A Pier Cantamessa/ por su penetración/ en el mundo/ por su penetración/ en las almas/ por su penetración".

LAURA BUCCELLATO

Su bonhomía era inolvidable y separaba muy bien a la gente, al interlocutor. Era gentil con todos, de arriba abajo, y con una generosidad natural. La bonhomía en él cuajaba por su gran señorío y sencillez, con *nobilitas est*, es decir con la nobleza de un aristócrata del pensamiento.

RENATO RITA

En términos intelectuales, Federico es la persona más aristócrata que conocí en mi vida.

LAURA BUCCELLATO

No mezclaba los grupos: en el fondo era el señorito. Mis amigos por acá, mis cosas por allá. No con premeditación sino por una cuestión cultural, en ese sentido también aristocrático.

CARLOS ÁLVAREZ INSÚA

La Rambla. Once de la noche. Entra Adolfito irritadísimo. "Che, ¿quién dejó el auto en la puerta de casa que tengo a Borges en el Be Eme?", dice *sic*. Sale corriendo un muñeco desesperado con un ataque de pánico sabiendo que tenía inmovilizados a Borges y a Bioy por estacionar en un lugar indebido. Federico me dice: "Este sí que es vivo: una vez le pregunté por qué, siendo tan buen escritor, siempre labura de boludo al lado de Borges, y me contestó: 'Como juego al tenis a un gran nivel, he hecho el amor con todas las mujeres que quise, soy muy buen conductor, sé manejar un avión de fumigación, escribo bien y soy rico, si no me hago el boludo en este país me pegan un tiro'". Al rato vuelve Adolfito y Federico le pide que me cuente lo que le dijo aquella vez. Y el cuento me lo relató exacto. Federico era un memorista.

JUANA PERALTA RAMOS

Estaba trabajando en un cuadro que era como una línea en el horizonte. Le pregunté: "¿Qué estás pintando?" y me contestó: "La vincha de Vilas". Tenía esas respuestas muy espectaculares. Me hacía gracia todo lo que decía. Era como un adulto-niño, por eso lo amábamos taaanto.

BLAS PERALTA RAMOS

Estábamos comiendo en la casa de mis abuelos con mi primo Pablo y nos invitó a tomar un café al Open Plaza porque iría Vilas. Bajamos y había un taxi esperándonos en la puerta, algo que ya me sorprendió. "Sentate adelante", me dijo, "yo me siento atrás con Pablo". Llegamos y estacionamos y yo no terminaba de entender por qué; además, él no tenía un peso para pagar el viaje. "El tachero viene con nosotros, tarado", me explicó. ¡Claro, el taxista también lo quería conocer a Willy! Eso habla de que para Federico todos éramos iguales, de que no había diferencias en ese aspecto.

ZELMIRA VON DER HEYDE DE PERALTA RAMOS

Él le propuso a Charly García que cantara el himno.

HOBY DE FINO

Lo de Charly es verídico. Sucedió un 25 de mayo a la madrugada en Open Plaza, donde algunos integrantes de la banda, como Fernando Samalea o Zorrito Von Quintiero, fueron con Charly a comer. Federico estaba en otra mesa. Se acercó y le sugirió que tocara el himno. Me parece que Charly se sentó en el piano del lugar y lo tocó al instante.

NANÁ GALLARDO DE POLESELLO

Compartimos mil anécdotas. Hay una que me encantaría que se supiera porque algunos van por ahí haciéndose cargo de lo que no les corresponde. Resulta que estábamos en el Open Plaza compartiendo mesa con Charly García y Guillermo Vilas cuando Federico le dijo a Charly: "Tenés que cantar el himno".

FERNANDO SAMALEA *músico*

Conocí a Federico Peralta Ramos de manera sorprendente. El 24 de mayo de 1990 estábamos grabando en el Estudio Panda *Filosofía barata y zapatos de goma*, el disco de Charly en el que yo era baterista. Tras todo el día de trabajo fuimos con García y otros amigos al Open Plaza, una confitería de Libertador y Tagle que frecuentábamos, básicamente, porque abría las veinticuatro horas. Charlábamos en una mesa del fondo cuando sonaron las doce y se acercó el famoso artista conceptual del Di Tella. Yo no sabía demasiado sobre "el dadaísta de la pampa salvaje", pero me encantaba su excentricidad y que hiciese una obra de arte de sí mismo. "Pinté sin saber pintar, escribí sin saber escribir, canté sin saber cantar; la torpeza repetida se transforma en mi estilo" era su lema popularizado. Lo relacionaba un poco con Marta Minujín, Alberto Greco, Edgardo Giménez o Jorge Romero Brest, y conocía la historia del toro y lo del Festival del Mate Cocido en el psiquiátrico. Esa noche Peralta Ramos increpó con cariño y parsimonia a Charly: "Permitime el atrevimiento, estarás al tanto de que ha comenzado nuestra fecha patria… ¡tocá el himno, por favor!", y señaló con un gesto de cabeza el piano de cola ubicado en medio del recinto. Distraído por la conversación de la mesa, García hizo como si no lo hubiese escuchado, pero Federico insistió. Con cara de "no rompás más", nuestro artista se puso de pie para luego sentarse con protocolo ante el piano. Hizo un gesto de concertista y se produjo un silencio profundo. Apagaron la música *lounge* que sonaba de fondo y, solemne, arrancó con los cuatro golpes de acordes de la obertura, para ir desarrollando con maestría las distintas partes que Blas Parera soñó en 1813 para acompañar los versos de Vicente López y Planes.

JUAN FORN *escritor*
Lo vi de lejos un par de veces y nunca me animé a hablarle. Lo idolatraba desde chico porque mi viejo veía religiosamente a Tato Bores y odiaba las apariciones de Federico, cosa que me hizo adorarlas al instante porque eran como la irrupción de lo dadá en una casa que no podía ser más legal y careta.

NANÁ GALLARDO DE POLESELLO
Si bien era muy generoso y regalaba ideas, sabía perfecto con quién hacerlo y con quién no. Pasó el tiempo y Alan Faena organizó un desfile de Via Vai en el que Charly cantó el himno, pero la idea original es de Federico.

FERNANDO SAMALEA
Culminado el acto, después del aplauso general y del impostergable abrazo con Federico, me dijo por lo bajo: "¿Vamos al estudio y lo grabamos como se debe?". Abordamos un taxi hacia Palermo junto al ingeniero "Masita" Artese, quien había montado un sistema de grabación directo a casete desde la consola. Sentados ante su set de teclados y mi batería, ya entrada la madrugada, no hubo que decir palabra ni mucho menos pautar ritmos, cortes o arreglos. ¡Tocamos por ósmosis! Tras el *grand finale* nos miramos entre risas. García tomó el casete que le dio Masita y lo levantó en alto, como un trofeo. La historia es conocida: su versión entró en el disco y el país habló de ella, dividiendo clamores. Doy fe de que la insistencia de Peralta Ramos fue clave para que existiera.

SEBASTIÁN PERALTA RAMOS

Mamá me dijo: "Federico le dio la idea a Charly García de que cantara el himno como un rock, ¿no te parece que debería cobrarle algo?". Quizá a mi hermano, que lo veía al viejo luchar tanto por la guita, ese tema le causara cierta repulsión.

PEDRO ROTH

Cuando secuestraron a Mauricio Macri estábamos en La Rambla. Una tarde apareció José Luis Manzano y se pavoneó diciendo que él lo había rescatado. Habló durante un largo rato y en un momento le preguntó a Federico qué le parecía. Le contestó: "No te estaba prestando la menor atención".

CARLOS ULANOVSKY

Un impúdico genio menor que no necesitó ser el Marcel Duchamp argentino –como algunos quisieron que fuera– para volverse brillante, único y difícil de olvidar. A esta altura es un objeto de culto: personaje de obra escasa, pero que alcanzó enorme repercusión en un tiempo en que no existía Internet. Lo recuerdo seguro y desorbitado, estampando en una pared la frase "Al final, Dios no es ningún pelotudo". Me pregunto qué sería en Argentina hoy, con 80 años: ¿un jubilado con la mínima?, ¿panelista de América TV?, ¿integraría la escudería Capusotto-Saborido? o ¿seguiría comprometiendo la fortuna de la familia?

JUAN BECÚ *artista y músico*

Siempre jugaba con vértices *duchampianos* y esquizofrénicos en su obra y en su personalidad, al punto de pensar que todo era ridículo o una joda. Sus creaciones son de una osadía y un sentido del humor absolutos, cosa que no se suele ver en el arte argentino, a veces cubierto de un manto de solemnidad del cual Federico se corría, divirtiéndose. Dejó una impronta de artista "chanta" que me encanta y me convoca a todo nivel.

ANA PERALTA RAMOS

Hoy, en la familia lo tratan como a un genio, pero antes diría que lo miraban como a un tipo raro que camina por la avenida Alvear tomando café con la taza en la mano. Lo cuento y lo estoy viendo. Yo me mataba de risa, pero tío Federico –su padre– era duro, así que no sé si le causaba mucha gracia. La madre, en cambio, tenía pasión por él. Un tipo que pintaba en la pared de la cocina frases como "Serás lo que te tocó ser y dejate de joder".

ELOÍSA SQUIRRU

Otro párrafo extraído de la biografía que escribí sobre mi padre: "'Serás lo que te tocó ser y dejate de joder' no es solo un chiste sino que encierra su fatalismo y su idea de destino. Federico tenía visión. Veía más allá. Los mandamientos suyos se las traen: 'A Dios hay que dejarlo tranquilo' es uno; 'jugar con todo', otro. Sabía mucho Federico, su humor es muy sutil. No te imaginás cuánto lo extraño. Era un personaje de gran dramatismo y ese dramatismo se refleja justamente en su caligrafía. Como enseñan los orientales, la caligrafía también es un arte. En una de las dos obras que tengo, que en realidad es una sola, Federico ocupa toda la tela con las palabras 'expongo una obra de Alvarado' y, efectivamente, la otra mitad de la obra consiste en un retrato de Alvarado. Si se elimina el cuadro de Alvarado, la tela de Federico sigue teniendo expresión".

MARIANO ALVARADO CABRAL *artista*

Nos caímos bien al instante. Yo tendría 20 o 21 y alquilaba un taller en un conventillo de Bartolomé Mitre y Uruguay al que Federico venía a visitarme. Tomábamos mate cocido, charlábamos y a veces nos quedábamos un largo rato callados. Una vez me dejó un escrito en un pedazo de papel para envolver: "Solamente consiguen un oasis aquellos que se bancan el desierto". Todavía lo guardo. La metáfora del desierto es la soledad del artista, creo: insistir para llegar donde sea. En un momento viví en París y allá me ganaba la vida como *babysitter*. Al volver me traje un retrato que hice de Nicole, la madre de una niña a la que cuidaba. A Federico le encantó. Me dijo "te lo compro". Como él andaba siempre al límite, le puse un precio simbólico y accedió. Entonces, agarró un bastidor exactamente igual y con su letra escribió: "Expongo una obra ajena, un cuadro Alvarado". La expuso en un restaurante. Me encantó que se fijara en mí, que me tirara una onda. Me parece que la obra se la vendió a Rafael Squirru y después recaló en un pibe cuyo nombre no recuerdo. Lo cierto es que, para recuperar mi obra, ¡tendría que pagar un Peralta Ramos!

RAÚL NAÓN
El cuadro de Alvarado se lo compré a un galerista que se lo había

Peralta Ramos le compró un cuadro (derecha) a su amigo, el artista Mariano Alvarado Cabral, y completó la obra –que actualmente pertenece al archivo de Raúl Naón– escribiendo a mano alzada en un bastidor del mismo tamaño (izquierda).

comprado a un librero que, a su vez, se lo había comprado a un diplomático. Si bien el gesto de apropiación de Federico resulta increíble en la obra, más me impresionó lo que contó Alvarado, quien para mí era un pintor desconocido: que él deba pagar un Federico Manuel Peralta Ramos para recuperar su cuadro es un delirio.

NANÁ GALLARDO DE POLESELLO
Le hicieron una nota muy linda y en la foto él aparecía caminando en pijama por la avenida Alvear.

ARTURO ENCINAS *fotógrafo*
Fede nos invitó a su residencia en julio de 1981 para hacer fotos para la revista *Pan Caliente*. Me pareció adecuado retratarlo en su propio ambiente. Nos encontramos en Alvear y Parera con Jorge Pistocchi, director de la publicación, que fue quien lo entrevistó y llevó el artículo por caminos surrealistas. Cuando entramos en la casa nos impresionó lo despojado y minimalista de la decoración.

CARLOS ÁLVAREZ INSÚA
El departamento de los padres de Federico era extremadamente lujoso, pero sin guarangadas. Tenía ese estilo de lo internacional argentino, un eclecticismo que mezcla racionalismo con neoclásico; es el farabute de raza de la avenida Alvear, que por eso nunca será una avenida parisina. Entrabas en el departamento y aparecía un living muy largo y un comedor que daban sobre Alvear. En la punta de la mesa había un De la Vega monumental. Resulta una paradoja interesante que en esa casa tan resistente a la decisión de ser pobre de Federico, lo más valioso eran los cuadros que le habían regalado sus amigos.

ARTURO ENCINAS
Había muchos ambientes amplios, pintados de blanco, pero sin muebles y con una cama, la del único habitante del lugar: FMPR. Luego fuimos al baño y cuando vi la brocha le pedí que se afeitara. Esa foto en

la que mira a cámara con ojos cómplices terminó saliendo en tapa con el título "Quiero ser Ministro de Economía". Fuerte, ¿no? Pensar que eso se publicó en plena dictadura. Incluso era fuerte para su familia, de indudable alcurnia. En la entrevista decía cosas como "bancate no vibrar, bancate no ser ángel y vas a serlo" o "a la conclusión que he llegado en base a la economía relativa, absurda y paradojal es que hay que ir improvisando sobre la marcha como en el jazz, saltando obstáculos, haciendo equilibrio con sensibilidad".

FACUNDO DE ZUVIRÍA *fotógrafo*

En 1989 me encargaron de la revista *Life & Fitness* hacerle un retrato a Federico Manuel, así que lo llamé para combinar y me dio la dirección de su casa. Llegué y toqué el portero eléctrico. Me dijo que ya bajaba y apareció vestido con *robe de chambre* y pantuflas. Además llevaba una regadera en la mano, listo para regar los canteros que estaban en la puerta de su edificio. Fue un artista extraordinario, un adelantado a su tiempo que supo hacer con su vida lo que sería su verdadera obra, su vida misma. Buenos Aires siempre lo va a extrañar.

BLAS PERALTA RAMOS

Alguien me contó que su obra *Misterio de Economía* se vendió hace poco en 65.000 dólares. Federico jamás se lo hubiera imaginado.

JULIÁN MIZRAHI

Cuando aparecen este tipo de artistas, el dueño de la obra decide cuánto quiere para sacarla de su colección: ese precio es aleatorio.

ARIEL BENZACAR

Federico era amigo de mi vieja, Ruth. Venía a casa o a la galería, se sentaba, miraba el infinito y te decía algo: era muy tranquilo, no un torbellino. Las tres obras que heredamos mi hermana y yo fueron regalos que él le hizo a mi madre para no llegar con las manos vacías a sus cumpleaños. Era muy lumpen en su esquema. Vendí *Misterio de*

Fotografiado por Arturo Encinas, en 1981 Federico Manuel salió en la tapa del número 3 de la revista *Pan Caliente* que dirigía Jorge Pistocchi.

Economía –justo en el momento en que se expuso en la feria ARCO-madrid y Dujovne, el ministro de Hacienda, se sacó una foto junto a la obra– y me quedé con otra frase que dice "Sos mi conflicto en la tiniebla".

Reproducción de una de las frases más conocidas de Federico Manuel.

MARINA BLAQUIER DE ZUBERBÜHLER

Por Alvear se lo veía muchas veces caminando con un antifaz. Se ponía sobretodo de *camel hair*, algo que usaban todos los bienudos, pero él lo combinaba con zapatillas o alpargatas: si bien hoy es última moda, en aquel tiempo era una locura. Como sociedad de la época no entendíamos mucho sus mensajes, sino que nos causaba gracia y lo tratábamos de "loco lindo".

ALFREDO MOFFAT *arquitecto y psicoterapeuta*
Hola, ¿sí? Ah, Federico… Lo tuve como alumno en la Facultad de Arquitectura. ¿Por qué hacés un libro sobre él, qué hizo? ¿¡En serio!? Mirá vos, qué lo parió. ¿Era el muchacho gordito, alto y con rulos? Lo recuerdo tranquilo y distante. Eso fue como hace sesenta años… ¡En el Taller Martín! Lo conocí en esa cátedra, en la época en que todavía se dibujaba. Por entonces no se destacaba: tenía una mirada distraída y no parecía ni siquiera un pichón de genio.

SUSANA NAVARRO OCAMPO *historiadora*
Un buen día aparecieron por San Isidro mi tía Astrid de Ridder y Federico. La exposición en el Di Tella había terminado y él no sabía adónde llevar el huevo, que se titulaba *Nosotros afuera*. Carol, mi padre, no había ido al Instituto ni estaba muy al tanto de los happenings, pero Federico lo intrigó. Entonces le preguntó si, expuesto a la intemperie, el huevo no se derretiría. Federico no tenía idea. Caminaron, vieron el lugar y luego no sé qué pasó con eso porque el huevo nunca vino. Federico fue siempre un hombre inmenso, atractivo y libre. Lo conocí en el hipódromo de Monte, apostando en una carrera de sulkys. Creo que desde ese momento siempre estuve *amourachée* por el personaje.

GUILLERMO FERNANDO AQUINO
Una vez fuimos al hipódromo de Palermo. Le divirtió el nombre de un caballo que se llamaba Eurasiático, decidió jugarle algo así como 100 mangos ¡y ganó!

LORETO ARENAS
El tipo era… las mujeres medio nos enamorábamos aun sabiendo que… Recuerdo que una se le tiró encima y él –gran bailarín– le dijo algo así como: "Ojo, que conmigo no hay nada que hacer". Él avisaba. Machazo, buenmozo, canchero, paquete, instruido: un acuariano muy apetecible. Uno puede ser sensual sin darse cuenta y él era de esos. Las

mujeres se le pegaban aunque frecuentara piringundines. Iba bastante al del pasaje Seaver, en el que le preguntó a una vedette que hacía bailes eróticos: "Decime, ¿alguna vez te acostaste con una mina?". Ella le contestó: "Federico, yo hice de todo". Le encantaba el *show business*. ¡Llevaba gente al psicoanalista! Cada tanto caía con uno o dos amigos a su sesión con el doctor Jaime Rojas-Bermúdez.

MARIO SALCEDO
Hizo una muestra con un arcabuz de vidrio –era una botella de licor– sobre una silla y un cuadro muy grande en la pared que decía "Cuidado con la pintura".

ENRIQUE SCHEINSOHN
Recuerdo una muestra que hizo en la galería de Álvaro Castagnino en la Galería del Este: expuso una pistola. Todas las luces confluían ahí.

PEDRO ROTH
A Rojas-Bermúdez le regaló un cuadro inmenso que decía "Cuidado con la pintura".

PEPE CÁCERES
Rojas-Bermúdez era una especie de pope de la psicología de la época.

BEATRIZ SANTA COLOMA *psiquiatra*
Estaba en plena residencia de la carrera de Psiquiatría y creo que supe de su diagnóstico –esquizofrenia– a través de Rojas-Bermúdez, a quien conocía mucho porque me había metido en el psicodrama a través de él. Federico tenía una conducta muy normal y una forma exótica de hilvanar los pensamientos. Nunca lo vi desubicado, en un brote o alucinado. No hacía referencias a ese tipo de vivencias. Su pensamiento era organizado y desorganizado al mismo tiempo: un caos prolijo muy llamativo. Podías seguir sus conversaciones por lo interesantes, pero

debías ser paciente. No creo que muchos pudieran seguirle el tranco. Había que tener otra cabeza.

GUILLERMO CABANELLAS
Conmigo siempre mantuvo un discurso híper racional: parte de ser "psicodiferente", pensaba yo, es su lado demasiado racional.

ALEJANDRO AGRESTI
Federico trataba de decir "hasta acá estoy yo" y "hasta acá está la locura". Eso se notaba. Lo hacía para no sentirse dominado. Por cómo se vestía y por cómo hablaba, podía ser un tipo totalmente correcto, incluso con ganas de mostrarse "civilizado".

EDITH SAAL *ex mujer de Jaime Rojas-Bermúdez*
Durante las entrevistas con Federico teníamos que esconder a Bachué debajo del diván porque los perros le daban pánico.

SERGIO AISENSTEIN
Era sensible, inteligente, querible: un capo. Se cagaba en la familia, en la guita, en todo. Me contaba que le gustaban mucho los psicoanalistas no por el psicoanálisis en sí, sino porque decían cosas raras; además, le encantaba que lo escucharan.

GUILLERMO FERNANDO AQUINO
Me pidió que lo acompañara a una sesión con su psicoanalista. Recuerdo que estaba ahí, un poco distraído, mientras ellos conversaban. No era una típica relación paciente-terapeuta. Federico de pronto le preguntaba: "¿Quién tiene más vigencia, Lacan o Perón?". Otra vez me lo encontré en la calle a la salida de su sesión y me dijo: "Soy como el balero que no quiso ser yo-yo".

BEATRIZ SANTA COLOMA
Rojas-Bermúdez era un tipo de gran apertura, situado en la vereda

opuesta del psicoanálisis, tan sectario y tan cerrado, donde todo es secreto y donde no se sabe nada del terapeuta. A Federico nunca lo vi como un esquizofrénico. Es más, creo que de un modo sensible e inteligente Rojas-Bermúdez lo protegió con su diagnóstico de "psicodiferente".

MALELE PENCHANSKY *escritora y psicoanalista*
No recuerdo si fue en una de sus columnas en *La Semana* que leí este concepto y quedé fascinada: "La albóndiga psíquica consiste en una mezcla de todos los estados mentales: la conciencia, el inconsciente, la subconsciencia, la preconciencia. Si la albóndiga psíquica funciona normalmente y sus elementos se imbrican, se sostienen y se alimentan, el ser humano tiene salud mental. Yo soy un ser sano, por ejemplo".

CECILIA LEONI *fundadora de La Dama de Bollini*
Abrimos La Dama en 1981. Venían desde Olga Orozco hasta Borges pasando por Niní Marshall o Luca Prodan, además del propio Federico, de quien recuerdo este pensamiento: "Cualquier encuentro casual es una cita previa".

CARLOS HERRERA *artista*
Federico Manuel Peralta Ramos es un artista que me emociona por su modo de pensar la vida como un encuentro. Con cada uno de sus textos escritos sobre soportes frágiles logro sentir la piel de un autor que vinculó la escena del arte con la vida ordinaria. Me gusta pensarlo como un peluche mullido, con ojos de vidrio y ropa intercambiable, un compañero fiel con quien compartir un café o una porción de pizza al salir del teatro. Me haría feliz encontrarlo en la calle. Lo invitaría a mi casa a almorzar y a dormir una siesta, lo taparía con mi manta preferida.

EDUARDO GUIRAUD
Decía: "Nunca rechaces una invitación a comer".

CHUNCHUNA VILLAFAÑE *actriz y arquitecta*
Me lo he cruzado en algunas fiestas hace como cincuenta años, en la época del Di Tella. Todo lo decía con una cara seria: era desopilante.

JUAN LEPES
Básicamente era un observador. Jamás lo vi con una mina. De todos modos, por aquella época en La Manzana Loca no todo era lo que parecía, y si él estaba loco, todos estábamos locos.

MARC CAELLAS
En un reportaje que le hicieron en *El Porteño* dijo: "Otra cosa que le preocupa de mí a la gente es que casi nunca me ven con mujeres. Lo que pasa es que las mujeres son asuntos personales, secretos. Hay que saber que a las mujeres privadas les gustan los hombres públicos. Y los hombres públicos prefieren a las mujeres privadas".

AMELITA BALTAR *cantante*
Nos encontrábamos en un *cocktail* o en un boliche o en un restaurante o en una fiesta: era encantadoramente simpático y tenía un humor extraordinario.

MARTA MINUJÍN
A mí, a otros amigos y a linyeras que levantaba por la calle nos llevaba a sus sesiones con Rojas-Bermúdez. Me contó que un día se desnudó por completo frente a él.

PEDRO ROTH
Había una novia suya a la que le decían "la secretaria". Cogió muy poco, Federico. Mi teoría es que Borges es el único macho alfa que no cogía. Tenía los demás ingredientes: territorio, picardía y harén. Se parecen mucho entre sí, salvo que Federico es de 140 caracteres.

CARLOS ÁLVAREZ INSÚA

Estar con él era un viaje fuera del tiempo porque no había construcción y destrucción de racionalidad: vivías en un mundo de asertos categóricos que podían ser puestos en duda, ¡casi como en la web! Su mundo era binario, en él no había proceso dialéctico ni relaciones discretas en términos físicos. Ibas de hipervínculo en hipervínculo y en eso Federico se asemeja a Borges ya que ambos, con la idea de cliquear el azul, anuncian en algún sentido la web. Fueron siete u ocho años de mucha intimidad, distinta de todas las intimidades. Nadie rechazaba un café con él, pero no lo toleraban mucho tiempo y yo me quedaba horas. Yo también soy una cosa atildada y si entro en el placer de la repetición –por eso me gusta la música electrónica– estoy como en un gran rave.

PATRICIA RIZZO

Hay obras de Federico –como la fallida compra del toro o la cena en el Alvear– que no son un chiste. Por el contrario, él era muy serio respecto del arte que hacía. Estamos ante un pionero del arte de acción y yo, como crítica, lo veo más importante hoy que en aquel momento.

MARIO SALCEDO

Sus poemas lo dicen. "Lejos", por ejemplo, que termina así: "Y cuando cae la tarde,/ lejos se mezcla de lejos". Todos fuimos de alguna manera influenciados por Borges en la sintaxis y en la ironía, y de más atrás por Macedonio, al que Borges adoraba, así como al bardo, al orillero, al guapo y al cuchillero. El Gordo abrevaba ahí. Es gracioso, lo conocí cuando era flaco y jugaba al polo.

GUILLERMO FERNANDO AQUINO

En La Concepción, el campo de los Blaquier, Federico jugaba al polo y de pronto se bajaba del caballo para que no se cansara.

MARIO SALCEDO

En el 67 teníamos con Moris y Javier Martínez el Juan Sebastián Bar

Federico Manuel en una de sus visitas diarias a Barbudos, el bar que Mario Salcedo tuvo en la Galería del Este entre 1968 y 1993 y al que solían ir, entre otros, Jorge Luis Borges, Roberto Goyeneche, Facundo Cabral, Moris o Leonardo Favio. La foto es de Pedro Roth.

en Villa Gesell. El Gordo era amigo de ellos. Yo lo financiaba y después su viejo me traía la guita. ¡Los Peralta Ramos son una raza única! El Gordo venía a mi boliche, se subía a un banquito a cantar y el lugar se llenaba en dos minutos. Hay que ser porteño para sentir su métrica y su impulso. Respecto del barrio, del Bajo, nosotros les mandamos a Polesello a Recoleta y ellos nos dieron a Federico: ese fue el canje.

JAVIER MARTÍNEZ *cantante y baterista, fundador de Manal*
Tengo la certeza de saber que Federico es un prócer del pensamiento y un defensor de la vida más acertada y feliz, todo un hombre en cualquier aspecto y un argentino universal y eminente. Esto es resultado de charlas filosóficas muy valiosas y la observación de su conducta impecable.

ENRIQUE SCHEINSOHN
Era extraño oírlo hablar: hablaba como si estuviera leyendo un texto de filosofía y había que prestarle mucha atención.

JAVIER MARTÍNEZ
Los idiotas envidiosos de siempre trataron de mostrarlo como un loquito diletante y fracasaron tristemente al chocar con el acero blindado de su realidad innegable. Fue un grande, un poeta, un artista y un amigo de verdad. Mantengo en alto mi recuerdo y mi promesa de volver a verlo en otros mundos, mejores que estos.

BEATRIZ SANTA COLOMA
Le encantaba hablar y escucharse a sí mismo. Tenía giros inesperados y encontraba cosas geniales en el lenguaje, lo desarmaba.

GUILLERMO FERNANDO AQUINO
Había dejado el alcohol. Tuvo una experiencia muy fea con Sarita Seré. Fue duro. Resulta que le tiró una sopa caliente y le quemó la cara. Admitido por él, ¿eh? Se vivían peleando. Ojo, yo no fui testigo de ninguna pelea porque a Federico lo conocí mucho más tarde. Después,

ella se casó con "Sáimon" Pereyra Iraola y decidió hacerse una cirugía para sacarse la cicatriz que le había dejado la quemazón y se murió en la anestesia.

ISABEL PALACIOS
A Sarita le tiró ácido en la cara.

PABLO BIRGER
En una época era como que había que "curarlo" e incluso se contaban relatos bastante distintos del mismo hecho, algo relacionado con la muerte de una mujer que probablemente ningún relator había presenciado.

LAURA BUCCELLATO
Apareció en la galería muy serio y me dijo: "Estoy de luto". Se miraba las uñas y yo veía que las tenía medio negras. "¿Se te murió el gato?", le pregunté mientras seguía viendo cómo se limpiaba las uñas de una mano con las uñas de la otra mano. Fue algo irónico que me salió de adentro. Él contestó: "No, se murió mi mujer". Intenté saber qué había pasado y me contó: "Hace un tiempito nos peleamos, le tiré una taza, le quedó una marca acá [en el entrecejo], y ella, sin avisar [ya estaban separados], se fue a operar y se murió en la anestesia". Me quedé patitiesa... no sabía nada de esa historia. Él, siendo un ropero y con un aura especial, tenía una forma rara de caminar, como bamboleándose para atrás, y me sorprendió que ese día anduviera con los hombros completamente caídos.

SEBASTIÁN PERALTA RAMOS
Lo de Sarita nunca pude comprobarlo. Cuando ella murió, Fede y yo almorzábamos solos en Vicente López. Sonó el teléfono. Atendí. Era Carlos Miguens padre. Pidió por mi hermano. Se lo pasé. Cuando cortó y lo vi, era la noche. Le pregunté qué había pasado y me dijo: "Se murió Sarita". Fueron años de torbellino con ella.

PACHI FIRPO

Tenía una novia que era un avión: Sarita Seré. Le echaron en cara que la quemó. Es mentira. Él no la quemó, sino que a ella se le dio vuelta una olla con agua hirviendo. Fue un accidente. Estaban juntos cuando pasó. No sé porqué salieron a decir que Fede la quiso lastimar. Además siguieron de novios un rato. Le gustaban todas las mujeres, era medio putañero.

PEPE CÁCERES

Estaba muerto de amor con mi hija, pero tenía cierto pudor con las mujeres... no se animaba. Cuando andaba con plata en general curtía "prostis" y su socio en eso era Pier Cantamessa.

ASTRID DE RIDDER

Lo de Sarita es verdad. Ella fue el amor de su vida. Tomaban mucho y en una noche de descontrol él le tiró sin querer algo caliente en la cara y la quemó. Después de ese episodio dejó el alcohol y las drogas en una época en que corrían mucho.

MARTA MINUJÍN

Federico no la quemó para nada: a la pobre se le cayó aceite caliente sobre el cuerpo cuando estaba casada con otro.

TERESA BORTHAGARAY DE TESTA *artista plástica*

Clorindo lo ayudó a presentar su proyecto para la beca Guggenheim y estuvo presente en la famosa cena del Alvear. Yo no estuve: no sé dónde andaría. Si bien gastó la plata en una comida, en comprar unos cuadros y en hacerse unos trajes, para nada fue un desperdicio. A Federico lo traté muy poco. Allá por los 60 estuvo un par de veces en Las Toninas, donde teníamos una casita que había hecho mi tío Samy Oliver entre los médanos, al lado del océano. Desolado, el lugar era parte de una estancia que se había loteado. Lo invitamos a pasar un fin de semana. Vivíamos una vida de verano silvestre y rústica; ni siquiera teníamos electricidad. Con el tiempo construyeron un camino entre el mar y las casas y ahí empezaron a estacionar camiones. Cuando todo se afeó vendimos la propiedad. Él venía con, ¿cómo se llama esta chica? Eh... Seré, Seré, ¡Sarita Seré! No dormían en casa sino en un hotelito cerca porque no cabíamos. Clorindo los recogía. Recuerdo una noche de tormenta en que vino solo y se quedó a dormir en el living. Debe haber estado muy incómodo. Soy bastante mala para los recuerdos, te digo. Ahora bien, esas tormentas eran espectaculares. Había una tal profusión de rayos y relámpagos, que se te grababan en la retina porque no había prácticamente luz alrededor. La oscuridad era total. Teníamos luz de querosén. Federico se mostraba amoroso conmigo. Si bien tenía sus excentricidades, era de lo más civilizado.

CARLOS ÁLVAREZ INSÚA
Lo bastante domesticado por la medicación y una buena terapia. El primer Federico debe haber sido de temer, con desbordes y prepotencias: parte de su historia negra. Como era un ser superior a la media, transformó eso y se convirtió en un dador de amor inexplicable con todo el que se cruzara. No hay un tipo que no tenga que agradecerle haber compartido un momento con él. Ni Doña Rosa se olvida de alguien así, de esa voz saludándola.

MIGUEL SCHAPIRE
Lo veías deambular y saludaba a todos, incluidos los chicos.

RICARDO ROUX
Un sábado a la noche Federico apareció por casa. Le pregunté si se quedaba y me dijo que lo habían invitado a cenar unos arquitectos "jóvenes, muy modernos, todo caño por fuera".

XIMENA ROUX *fotógrafa*
A los 15 me mudé a Buenos Aires con mi padre (pintor, casa en Barrio Norte, atelier en la terraza). Como no había vivido nunca acá, casi

no tenía amigos. Federico caía a las siete de la mañana a desayunar. Peleábamos por el queso *cottage*, que yo escondía para que él no se lo comiera todo con cuchara. Nuestro vínculo era de igual a igual, como hermanos. Si lo pienso ahora, ¡Federico tenía casi 50 años! Un oso redondo afable blanco aniñado lindo asexuado: desde mi mirada de adolescente, una especie de Benny Hill.

RICARDO ROUX
Entonces le preguntó a Ximena, mi hija de 15 años, qué hacía.

XIMENA ROUX
"Quisiera que usted me acompañe", dijo. Como mi viejo se desesperaba por que yo hiciera amigos, contesté que sí. Llegamos a una casa muy lujosa: mármoles, cortinados, arañas, platería y una mesa larga con arquitectos de clase alta. Yo tenía unas Topper hechas mierda que habían sido de mi mamá y me quedaban chicas. Aparecimos en mitad de la cena. Nos hicieron lugar en un rincón (tipo *La fiesta inolvidable*: te acercan un banquito y la mesa te queda altísima). Federico pidió sopa —todo era sólido, él pidió un líquido— y cuando la terminamos de comer me dijo: "¿Vamos?", y nos fuimos.

RICARDO ROUX
Le pedí que la trajera de vuelta a casa, pero la mandó en colectivo.

XIMENA ROUX
El contrato era que me dejaba en casa, pero me subió a un bondi —yo no sabía dónde estaba parada— y me dijo algo así como: "Te bajás en Santa Fe y Anchorena". La salida nos dio cierta complicidad.

RICARDO ROUX
Al sábado siguiente volvió a aparecer. Le preguntó a Ximena qué hacía y ella le dijo que salía con un flaco.

XIMENA ROUX
Me incomodaba que un señor grande me invitara a salir, así que le mentí, le dije que tenía un novio, pero me fui a la casa de una compañera.

RICARDO ROUX
Cuando ella se fue, Federico me pidió la guitarra y empezó a cantar canciones mexicanas: "Ay ay ay ay ay cantaba, ay ay ay ay ay gemía". Así, hasta que se hizo de día, se cansó, comió algo y se fue.

PEDRO ROTH
También tengo esa frase suya que dice: "Plankton, palabra griega que quiere decir andar errante. Siempre fui un plankton, siempre fui un andar errante".

XIMENA ROUX
Pasaron un par de años y con un amigo creamos un programa de arte en cable. Aprovechando que mi viejo recibía invitaciones a *vernissages*, preparábamos una agenda y entrevistábamos a un artista por programa. Recuerdo que cubrimos en el Palais de Glace la inauguración de una muestra falopa en homenaje a Van Gogh. Ahí estaba Federico. Le hicimos un reportaje. Cuando le pregunté por la obra del artista holandés, contestó: "Lo importante es entender el *rickshaw*; si no lo entendés, no avanzás". Jamás había escuchado esa palabra, no conocía su significado. Después de mucho tiempo entendí que todos cargamos con nuestro propio *rickshaw*, el taxi humano que cada uno arrastra; si no entendés eso, no avanzás.

169

SEBASTIÁN PERALTA RAMOS
Siempre me decía: "Mochila liviana".

NANÁ GALLARDO DE POLESELLO
Su obra era llegar a un lugar, agarrar una servilleta y escribir una frase. Siempre me decía: "Conocé más los barrios". Te contagiaba su

filosofía. Se nutría de todo tipo de personas, era muy abierto y tenía siempre algo que aprender de los demás. Aunque estuvieses con él una sola vez en tu vida, no había forma de que no te quedases con algo, siquiera una frase o una señal.

COCHO LÓPEZ

Una noche en Bwana la revista *Corsa* me dio un premio de automovilismo. Federico me acompañaba en la mesa junto a Leonardo Favio y recuerdo que le preguntamos por qué Nicolás García Uriburu había pintado el mural de la discoteca con tantas vacas. Federico explicó: "Lo que pasa es que le encargaron algo referido a la urbe, por la ciudad, y él entendió 'ubre'".

FINITA AYERZA *psicoanalista y escritora*

En un momento lo veía todos los días. Eran íntimos con mi otro Federico –González Frías–, que escribía y estaba muy loco. Rompí con él y mi novio pasó a ser David Lebón. En casa, que era grande, yo vivía con mis tres hijos y de pronto te podías encontrar con Pappo.

MARIO SALCEDO

Pappo adoraba a Federico. "Gordo, cantate algo", le decía. Lo íbamos a ver al Roxy y Pappo lo subía al escenario y le tocaba la guitarra mientras él recitaba. Al Gordo lo adoraban todos en todos lados.

COCHO LÓPEZ

Federico era un personaje de historieta y sentarse con él era único. ¿Quién no lo recuerda?

JUAN ÁLZAGA

En una época andaba con una armónica en el bolsillo: se subía al colectivo y jorobaba con la armónica. "¿Qué hacés, Juan?", me saludaba, y "tutururututúúú". Siempre se movía de acuerdo con ciertas rachas.

FINITA AYERZA

En casa todos andaban medio drogados. Siempre se quedaban a dormir Marilú Marini, Jorge Bonino y Federico. A la noche se peleaban porque querían estar solos en el único cuarto que yo dejaba liberado. Un día Federico se comió ocho bergamotas –esas mandarinas gigantes– y un flan entero. Era devorador. No sé si comía tanto sino todo junto y al mismo tiempo. Si bien estábamos en una época de mucho *grass*, él jamás en su vida fumó un porro; por eso su locura era especial, "encarona" como decían los brasileños.

GUILLERMO FERNANDO AQUINO

Era genial bautizando a la gente: no te decía "Cacho" o "Pepe", sino que armaba frases. A Finita Ayerza la bautizó: "Seré pavota, pero atea eso sí que no". A Eduardo Ceballos, que se creía inteligentísimo, le puso: "De chico quería tener una estación de servicio, ahora soy filósofo".

PEDRO ROTH

Federico González Frías se casó con Finita Ayerza y juntos fueron a asaltar con un revólver al papá de ella, que era el dueño del Banco Galicia, el gánster más grande de Buenos Aires. El papá les sacó el revólver y lo tiró a la basura. Como no le daba plata a su hija, ella tiraba el tarot con el *nom de guerre* Yeshira. Federico Manuel repartía los volantes de Yeshira en Colmegna, un lugar cero espiritual donde una vez un tipo le preguntó: "¿Ella te da el culo para que repartas los volantes?". Federico tenía entrada libre en ese spa, donde otra vuelta bautizaron a Dios "el control del último piso". Cogía poco, Federico. Recuerdo que tenía una secretaria –se llamaba Luisa Valencia y ella se declaró su secretaria– con la que habrá cogido dos veces en la vida.

MECO CASTILLA

Antes de ir al Florida, Federico pasaba casi todas las tardes por el estudio de Deira –quien para mí era como un hermano– y nos veíamos ahí. Los sábados, cuando ya no había nada más que hacer en el

Bárbaro, íbamos a casa, donde una vez el Oso Smoje, Lea Lublin y yo le hicimos de coro en un recital improvisado. Nos pedía que no le convidáramos marihuana porque le podía hacer mal. Era muy cuidadoso con eso. "No me den, no me den", repetía todo el tiempo.

PABLO BIRGER
Desde que lo conocí hasta que murió nunca lo vi beber alcohol. Él no se tentaba.

SERGIO AISENSTEIN
Se ve que en una época tomaba mucho y estaba orgulloso de haber dejado de chupar.

MECO CASTILLA
Otras veces cantaba en el Can Can, que quedaba enfrente de casa, sobre el pasaje Seaver: de pronto me cruzaba para verlo. Se ponía una escafandra de buzo y cantaba, de modo que nadie lo escuchaba y era maravilloso porque el público no era artístico ni intelectual, entonces su espectáculo tenía mucha gracia (incluso más que en otros lugares, por el contexto).

FINITA AYERZA
Mi departamento era muy divertido, dos pisos en Copérnico. Llené las paredes de flores. Tenía esa cosa de casita inglesa con escalera. Por ese entonces yo tiraba el tarot bajo el apodo de Yeshira y escribía. Alguien hacía la fiesta abajo y yo no podía controlar lo que pasaba: me encerraba arriba, en mi cuarto, y me ponía a trabajar. Federico me decía cosas terribles. Por ejemplo: "Vos tenés un hueso ahí adentro". Era como un niño grande y le gustaba serlo. En la casa de sus padres dormía en uno de los cuartos de servicio y la niñera de su infancia dormía en el de al lado.

GUILLERMO FERNANDO AQUINO
Después de Sarita Seré tuvo otra novia, la Negra Marisa, que era una

de las coperas del Can Can. Solía llevarla a todos lados. La noche que se conocieron él le preguntó con cierta ingenuidad: "Decime, ¿a vos te gustan los hombres inteligentes?". Ella le contestó que la inteligencia era un atributo que no le interesaba para nada.

FINITA AYERZA
Cuando enloquecía le agarraban algunas manías y andaba como poseído. Quiso parar el mar con las manos gritando "¡basta, basta!", hasta que el mar le llevó el autito que tenía. Entraba en estados de locura, decía cualquier cosa y la gente se reía muchísimo. A veces se enojaba conmigo. En un momento Sarita Seré se había quemado íntegra y estaba con muchas cicatrices. Dijeron que Federico le había tirado una cacerola, pero no era cierto.

PEDRO ROTH
A una negra mota que era copera del Can Can Federico le preguntó si se había acostado con una mujer y ella le dijo: "Federico, yo fui de todo menos rubia".

HELENA VIALE *ex directora de la Fundación Julio Bocca*
Me lo encontraba en Mau Mau, Áfrika o Marrakech. "No me comprenden porque yo no soy loco", decía, "sino psicodiferente". En 1967 expuso pinturas en la galería Vignes bajo el lema "Todo lo gordo a un costado". Era su quinta muestra personal. El dorso del programa de mano tenía una foto de él junto a la estatua de San Martín, la reproducción de un cuadro suyo hecho con trazos gruesos y un poema que terminaba así: "Y los bombones redondos de chocolate con dulce de leche adentro hablan de cosas hermosas". Eran los bombones de Harrods. Nos reíamos mucho con él. Se te acercaba, te conversaba, te hacía preguntas. Vestía siempre impecable, con traje. Jamás te tiraba un lance, pero te alababa la vestimenta o los zapatos. "Qué elegante", esas cosas. Muy bien educado. No lo recuerdo como un hombre sensual ni con novias.

CARLOS ÁLVAREZ INSÚA

Evidentemente hay varios Federicos.

PEDRO ROTH

Lo primero que hizo fueron los cuadros "pesados", un poco como los de Tapiès: tenían mucho color y la pintura se caía.

HORACIO ZABALA

Entre otros espectadores, estuve presente durante su brevísima performance (en aquella época no se usaba ese término, sino que se hablaba de "arte de acción", "señalamiento" o "accionismo") en la planta baja del CAyC. Serrucho en mano, el artista dividió en dos partes una mesa de madera cuyos restos inútiles quedaron en el piso.

CARLOS ÁLVAREZ INSÚA

Federico es también una juglaría. Produce algo para una audiencia y, aun en la intimidad, maneja seis o siete gestos "performeados": eso habla de su singularidad disparatada.

RAFAEL BUENO

Fue un mentor para mí. Nos conocimos en el Florida Garden a fines de los 70 junto a Renato Rita, Marta Minujín, Pier Cantamessa y tantos otros. Empecé a ir con él a diversos *openings* de galerías y a todo evento al que me llevaba y donde hacía sus performances de canto o de *body art*, como cuando en el CAyC cortó una mesa con un serrucho.

LAURA BUCCELLATO

Siempre estaba en las muestras de artistas jóvenes: lo nuevo y lo curioso le llamaban la atención.

PEDRO ROTH

Antes de ir a dormir tomaba un vaso de leche en Maipú y Córdoba, donde había una confitería que se llamaba, creo, Saint John. Una noche le pidió la cuenta al mozo y el tipo le dijo que unos jóvenes lo habían invitado. Les fue a agradecer y les preguntó a qué se dedicaban. Ellos contestaron que escribían, como él. Quiso saber qué escribían y dijeron: "Canciones de protesta". Él les respondió: "Qué bueno... cuando yo estoy enojado, no puedo escribir nada".

RAFAEL BUENO

En mi primera muestra, que hice en la galería Ática de Paraguay y Reconquista, me pidió colgar una obra titulada *Sos mi bomboncito* dedicada a su novia Lucía Valencia, que trabajaba en el cabaret Can Can. Esa misma noche cantó "La hora de los magos", de Jorge De la Vega, y el tango "Las cuarenta", de Grela y Gorrindo.

MARIO SALCEDO

Una vez estábamos en Los Dos Pianitos, en San Telmo, con el Gordo. Cantaba un muchacho con dos parrilleros atrás –parrilleros son los que tocan la guitarra–, a uno de los cuales bautizamos "Senza Jopo" porque tenía una peluca que, cuando tocaba, se le movía para adelante y para atrás. El tipo cantaba para el orto y cuando termina la canción con el verso "y que el tiempo nos mate a los dooooos", el Gordo dijo: "¡¿Y qué culpa tiene el guitarrero!?". El boliche se vino abajo, todos se morían de risa.

JULIÁN MIZRAHI

Alberto Greco murió en 1965, justo cuando Federico presentó el huevo en el Di Tella. Aun así, percibo un vínculo potente entre el gesto y lo que escriben, entre la performance y sus vidas reales. En un momento en que todo era más virgen que hoy, en que había más sospechas que certezas, Federico se subía a una mesa y declamaba; en la actualidad los espectadores están alertados sobre lo que puede ser una performance que, además, se "prepara" y se registra. En el caso de Federico y de Alberto, ellos mismos eran sus obras y desde que se levantaban hasta que se acostaban no dejaban de ser artistas incansables porque no conocían otra manera de vivir. Me fascina lo auténticos y consecuentes que fueron con su arte. Federico se muestra genuino hasta en algunos cuadros que a priori son horribles: prefiero creerle a un bofe suyo que a un artista actual. La pena es que murió sin creer que era muy buen artista y mucho menos, el gran artista que es en el presente, donde todo sucede de manera previsible. Me encantan su imprevisibilidad y el poco miedo al qué dirán, al margen de si detrás había un tipo inseguro o patológicamente cuestionable.

PABLO BIRGER

No se puede pretender que un buen artista sea bueno en todo: buen hijo, buen padre, buen amigo. Ser buen artista ya es mucho.

PEPE CÁCERES

Para ser artista podés ser puto, falopa o asesino, pero nunca miserable ni boludo. El artista se coloca fuera del sistema. Federico era absolutamente periférico en relación con su familia y el establishment del arte: él merodeaba. Tenés que estar muy mal para creerte el sistema y adaptarte a él. Eso tiene que ver con el firmamento interno. Suena fuerte decirlo, pero Federico vivía una vida poética en un continuo estado de arte.

PABLO BIRGER

Si un artista tuviera la cabeza plana como todos nosotros, no sería artista.

CARLOS ÁLVAREZ INSÚA

En las condiciones sociales y políticas de Federico, el arte como una continuidad del vivir fue el atajo que encontró para hacer de su existencia una operación performática. No era un tipo para pertenecer a la extrema oligarquía vacuna argentina. Logró un modo de mantener el aparato afectivo que su debilidad requería –que sus padres lo quisieran– y no participar de nada.

ERNESTO BALLESTEROS

En los 80 yo trabajaba en la galería Tema, de la que Federico era artista, y en la que más de una oportunidad pasamos largos ratos solos. Me acuerdo de dos muestras en las que participó, una colectiva y una individual. Cierta vez estaba muy nervioso, pues su madre vería su trabajo. Como un niño ansioso y movedizo recorría toda la superficie alfombrada de la sala. Me preguntaba si a ella le gustarían sus obras y yo le decía que él era lo más.

NORA DOBARRO *artista*

Recuerdo una muestra que realizó en la galería Tema. Entré y en toda la sala había un solo cuadro, chiquitito: no sé si era una imagen o solo palabras. Me impactó la impertinencia del tipo; mejor dicho, su genialidad.

ERNESTO BALLESTEROS

Llegó la madre y sus nervios lo hicieron volar. Al entrar en la sala, la señora –altiva, por decir– miraba hacia abajo sin levantar la cabeza. Los dejé a solas. Al rato aparecieron y vi que Federico la acompañó hasta la salida. Volvió lento y cabizbajo. Pasó delante de mí y siguió de largo hacia la sala. Fui a buscarlo: miraba fijo uno de sus trabajos. Le pregunté por la opinión de la madre y me respondió: "Este no le gustó". Era un tipazo. Muy sufrido, pero había encontrado su manera de pedir amor.

MIGUEL HARTE *artista*

Alguna que otra vez lo acompañé a mi viejo al centro y recuerdo que se encontraba con Federico en el barcito de la Galería del Este. Él siempre tiraba frases o declaraciones que, aunque simples, eran medio herméticas o poéticas. Yo no las entendía mucho. La puntería brillosa de su mirada me producía cierta impresión y, lamentablemente, me ponía como nervioso. Él estaba siempre en una y tenía un aire de locura que, por lo visto, me incomodaba. Supongo que debería haberlo conocido de más grande para haberme podido relacionar con él. Mucho tiempo después hizo una instalación en el Centro Cultural Recoleta: una sala decorada con una mesa y unas sillas. Se llamaba *La salita del Gordo*. Él te recibía sentado ahí, en silencio o charlando. Esa vez la pasé bien a su lado, me encantó la obra y fue la última vez que lo vi.

PEDRO ROTH
En esa muestra, ambientada como una sala de espera, él charlaba con la gente.

GABRIEL LEVINAS
En el fondo, tenía un sufrimiento de base. Había mucha gente que prefería verlo como un tipo gracioso y no como alguien dotado de un gran talento. Las cosas que hoy hace Marina Abramović, sin minimizarla, Federico las hizo cincuenta años antes.

JULIÁN MIZRAHI
La muestra *La salita del Gordo*, de 1986, es única: el tipo se sentó solo en una mesa... ¡es del futuro! Me emociona mucho y hoy en día no me emociono: no veo rupturas. Actualmente no se encuentran propuestas así, sobre todo en la simpleza y el ahorro del recurso. Un marcador, un bastidor, un papel: el tipo construyó una carrera. Podés hacer algo tan grande cuando tenés contenido; actualmente habrá mil recursos y mil ideas, pero cero contenido. Federico tiene mucho para andar, pero hay poca obra en el mercado.

DOLORES NAVARRO OCAMPO *decoradora*
Una vez le oí decir que en este país no hay mercado que dé abasto.

CARLOS ÁLVAREZ INSÚA
Si se compara la obra de Federico con la de Abramović –los movimientos, los riesgos a lo largo de toda una vida–, él la llevó a cabo en apenas veinte cuadras a la redonda: su performance es una acción continua de cómo se camina la calle Alvear con un café con leche en la mano o con

En 1986 Federico Manuel presentó *La salida del Gordo* en el Centro Cultural Recoleta. La foto es de Silvio Fabrykant y la muestra constaba de una mesa y dos sillas para sentarse y conversar con el artista.

una patente colgando del cuello. Son las mil y una maneras de cómo llegar a La Rambla, las mil y una maneras a la hora de cambiar de rumbo y dirigirse a La Biela, un destino distinto porque, para "meterse" en una mesa junto al Bebe Rusconi, Federico debía estar preparado para brillar al lado de un *playboy* argentino; en La Rambla, en cambio, los corredores saludaban de lejos y todo era más fácil.

GUILLERMO FERNANDO AQUINO

A principios de los 90 se hizo una muestra en homenaje a Gardel en el Centro Cultural Recoleta. Participaron un montón de artistas conocidos, todo el establishment de los boludos. Había cuadros con muy poco vuelo: algunos más abstractos que otros y muchas caras de Gardel bastante obvias. Lejos, el mejor cuadro era de Federico, que se veía nomás entrabas. En el centro de un enorme bastidor blanco de dos por tres pegó, recortada de una revista, una fotito de Onassis. ¡La gente no entendía un carajo! Más Gardel que Onassis no hubo. Eso era Federico. Exponerse entre toda la gilada con algo así.

HUGO LAURENCENA
Mi primera exposición fue en la galería Carmen Waugh en 1976. El día de la inauguración Federico se plantó en un rincón vestido con su *tuxedo* y, como no se movía, le pregunté qué hacía. "Estoy haciendo acto de presencia", contestó. Se tomó unas copas y antes de irse me dijo: "¡Laurencenaaa! ¿Sabés por qué vas a triunfar? ¡Porque sos petiso!".

GABRIEL GRIFFA *periodista y editor*
Con Marcelo Longobardi nos conocimos en 1982 y creamos una
revista para difundir las ideas de la libertad. Casi un año después salía a la calle, con la dirección de Longobardi y la subdirección de Luis González Balcarce, el primer número de *Apertura*. Fue a través de nuestro querido amigo y "gurú" González Balcarce que conocimos a su primo Federico Manuel Peralta Ramos, quien escribió de puño y letra su poema "A mí me gusta acá" para que lo publicáramos en la sección Cosas del Alma con la que arrancaba la revista. Así fue como comenzó nuestro vínculo con Federico, con quien nos reuníamos todos los fines de año para tomar un café de los largos, regado por infinitas botellas de Villavicencio sin gas, y deliberar acerca de quiénes habían sido aquellos actores, políticos, empresarios, ejecutivos y banqueros de la *city* que, por su trayectoria a lo largo de ese año, calificaban para ser Pibe 10 o les había llegado su Waterloo. Por ese entonces, la revista era un "devezencuandario": aparecía en los kioscos de vez en cuando y mucha gente no dudaba en afirmar que se trataba de una publicación católica porque salía cuando Dios quería. En aquella época de grandes dificultades económicas y enormes desafíos, un día Federico le dijo a

Marcelo: "Longobardi, a vos te va a ir bien porque, a pesar de que sos muy feo, te sobreponés a tu biotipo y le das para adelante. Así que quedate tranquilo, ¡te va a ir muy bien!".

LORETO ARENAS

A fines de los 80 yo organizaba una muestra en la galería de Julia Lublin, en la calle Charcas entre Florida y Maipú. Se llamaba *Maratón*, duraba un día y la hacíamos a fin de año. Varios artistas exponían una carpeta con dibujos de pequeñas dimensiones que se vendían a precios baratísimos. Lo invité a participar a Federico y avanzó con un japonés petiso que tenía un sifón en la mano… ¡Un japonés de verdad! No sé de dónde lo habría sacado. Le pregunté si tenía pensado hacer algo y me dijo que sí. Entonces agarró el micrófono, me ubicó al lado suyo y anunció, con esa voz de dientes apretados que tenía: "Mi obra va a ser hacerla sentir mujer a Loreto". Hizo unos gestos como que me transmitía cierta información mentalmente y yo le seguía el juego diciendo "¡ah, ah!" y mirando al techo, hasta que una amiga levantó la mano y exclamó: "Yo la compro".

ZELMIRA VON DER HEYDE DE PERALTA RAMOS

Recién casados, Diego y yo nos mudamos a una casa grande y no teníamos muchos muebles. Un día vino Fede y me regaló un cuadro que se llamaba "Todo lo gordo a un costado". Era un óleo de 1,20 por 1,20 que pesaba más de ochenta kilos: la parte izquierda estaba vacía y la pintura –grumos que sobresalían como cuarenta centímetros– estaba a la derecha. Tuvieron que venir albañiles para colgarlo arriba de la chimenea. Estábamos chochos. Pasó el tiempo. A los dos años me despierto y lo veo sentado en el sillón, delante de la cama. Serían las siete de la mañana. Me dijo: "Tengo que hablar con vos". Era tempranísimo, Diego dormía. "Vengo a preguntarte una cosa", siguió, "¿vos te acordás de que yo no te regalé el cuadro?". Desconcertada le contesté: "Fede, si no me lo habías regalado, el cuadro es tuyo". Dijo: "Sí, no te lo regalé, fijate que ahora lo vendí". Le expliqué que no había inconveniente, que podía buscarlo cuando quisiera y empecé a irme de nuevo a la cama. "Me lo llevo ahora porque tengo el flete abajo", ¡me dijo! Creo que se lo vendió a Carlos María Helguera. Tengo el recuerdo grabado: él mirándome a la retina, diciendo: "¿Vos te acordás de que no te lo regalé?". La verdad, yo estaba feliz de que lo hubiera vendido porque nunca tenía un mango.

RICHARD STURGEON
Yo alquilaba un cuarto en una casona histórica de la calle Alsina que con el tiempo se hizo famosa porque con nosotros vivía Luca Prodan. Era invierno, hacía mucho frío y yo dormía en el piso junto a una estufita de cuarzo. A eso de las seis y media o siete de la mañana sentí un ruido y pensé, medio dormido, que era parte del sueño, de modo que me volví a dormir. Al rato escuché como una respiración en el cuarto, salté de la cama y vi a FMPR sentado en el sillón. Asombrado, le pregunté: "Fede, ¿qué hacés acá tan temprano?". Con esa personalidad sorprendente me contestó: "Vine a visitarte al infierno y lo quería hacer en las horas más difíciles". Nos reímos como siempre, tomamos unos mates y se fue a dormir a su casa.

ZELMIRA VON DER HEYDE DE PERALTA RAMOS
Se levantaba temprano y de pronto aparecía en el living de casa. Esperaba a que me levantara y al verme me decía: "¿Puedo pedir una taza de café?". Yo le decía que pidiera lo que quisiera. Era un desprogramado. O de pronto llegaba muy tarde a la noche y le decía a Diego: "Invíteme a tomar la última copa, algo para despedir la noche". Después de mucho insistir, lo convencía, bajaban a Le Club y se pedía ¡una taza de té! Diego no lo podía creer: "¿Me hacés bajar a las tres de la mañana para tomar una taza de té?".

MARIO SALCEDO
Era raro con las minas.

JUILIÁN MIZRAHI
No quiero decir boludeces… pero Federico… no sé si no era gay. De todas sus sensaciones, ninguna tiene que ver con la mujer. La quemazón de su novia es un tema muy fuerte. Es el "anti-gesto" esto que cuento, esa cosa de verlo como lo opuesto a un mujeriego.

MARTA MINUJÍN
Con las mujeres tenía éxito: la última novia se llamaba Olga, creo. También tuvo una arquitecta. Íbamos siempre a cabarets y burdeles de la calle Reconquista donde hablábamos con prostitutas o contorsionistas, gente que a él le gustaba mucho.

CARLOS ÁLVAREZ INSÚA
Le gustaban las minas. En un momento tuvo una novia gorda de unos 25 años, altura media, silenciosa, con el pelo rubio teñido y que siempre vestía jeans. Una amiga los vio entrar de la mano en el telo de Azcuénaga 2020.

MARIO SALCEDO
Un día vamos a Can Can, donde bailaba Naná, la mujer de su vida. Un amor distinto del de Sarita Seré. Cuando levantaba, el Gordo era levantador. En Gesell era fatal. Se la garchó a la Borges, que era chiquita. Creo que también se la volteó a la actriz Gilda Lousek, que salía con Fernando de Soria, un cantante que estaba enojado con ella porque le decía: "Vos me cagás con Peralta Ramos" y el único Peralta Ramos que andaba por ahí era Federico, que paraba en la estancia de los Guerrero. El Gordo era un aristócrata intelectual, flaco y gran jugador de polo… ¡trabajaba de hijo!

PATRICIA RIZZO
Era elegantísimo y tenía un modo muy refinado de hablar. Tenía don de gente y parecía naturalmente un dandi.

GUSTAVO DOLINER *arquitecto*
Federico encarna a la perfección el espíritu del artista romántico, *flâneur* y bohemio. En eso también era un adelantado: un antisistema, un amante de la *slow life*. En algo me hace acordar a Néstor Sánchez.

MIGUEL SCHAPIRE
Era una especie de vagabundo primitivo.

ZELMIRA VON DER HEYDE DE PERALTA RAMOS
Algún problema tenía. Él decía que era psicodiferente y probablemente lo haya sido. Era un estudioso, ¿eh? Le faltaban pocas materias para recibirse de arquitecto. Quizá tenía, no sé, déficit de atención. Enganchó para el lado del arte, pero para un arte que no era el de la época sino de ahora. Su fuerte era su filosofía. Hizo de todo. El propio Tato Bores le decía: "Federico, hay una generación que no te conoce". Y es cierto, no lo entendían.

JULIÁN MIZRAHI
Me han llegado a contar un dato del apellido que no pude confirmar con nadie: aparentemente el tatarabuelo de Federico, don Patricio Peralta, tenía un almacén de ramos generales en Mar del Plata en cuyo cartel se leía "Peralta, Ramos Generales". De tanto repetir el nombre del lugar, el apellido se terminó "armando".

CARLOS ÁLVAREZ INSÚA
El tema de la filiación es clave. Para pegar el salto de actualidad en la contemporaneidad del arte argentino, Federico tenía que ser Federico Manuel Peralta Ramos González Balcarce Bengolea y no otro. Había que hacer un trabajo sobre esa filiación, algo tenía que pasar para que exista Marta Minujín.

LAURA BUCCELLATO
Federico Manuel es un artista conceptual con todas las letras: no se puede hablar de arte conceptual argentino sin hablar de él.

GABRIEL LEVINAS

No hubo en Argentina un artista conceptual más importante que Federico. El problema es que muchas de las cosas que hizo no están ni van a estar. Los tipos que más queríamos el arte éramos los menos cuidadosos: no grabábamos, no filmábamos, no anotábamos, no documentábamos... estábamos más preocupados por que saliera lo que debía salir. Sin embargo, por la influencia que teníamos en los demás, por esa sabiduría que adquiríamos en las discusiones cotidianas, subíamos el nivel de exigencia. Ahora, si querés ver el objeto derecho, el objeto que se compra y se vende, no lo vas a encontrar.

RAÚL SANTANA

Era un artista con todas las letras.

LAURA BUCCELLATO

Lo considero una especie de aedo. No era payador, no buscaba la rima sino poetizar la realidad, enmarcarla en su visión. Era muy perceptivo y en él no había azar; al contrario, estabas ante un intelectual muy refinado al que tomaban para la chacota porque generaba ese guiño irónico o paródico. Un poco como Marta: quiero ser libre y que nadie me solemnice. Era un escudo para su intimidad, para su cosmogonía.

SERGIO AISENSTEIN

Entre el 82 y el 84 venía al Café Einstein, donde hacía sus monólogos de quince o veinte minutos muy en la onda de café-concert. Como el lugar explotaba, él se protegía detrás del mostrador de madera, lejos de la multitud. Siempre tomaba té. Vestía cajetilla: traje azul y camisa con iniciales. Podía monologar veinte horas. Era infinito y muy culto. El público se re copaba porque hablaba de cotidianeidades que con su voz teatral se transformaban en algo tragicómico o filosófico. A la Nave Jungla venía al principio, en 1988, aunque era un quilombo porque entraba el triple de gente que en el Einstein.

"Estaba medicado con Haloperidol porque tenía como una esquizofrenia, pero sin ser nada loco; para mí, era lo más normal del mundo", contó Marta Minujín (foto sin crédito).

GUSTAVO DOLINER

Soy de Campana y lo conocí en 1983 a través de un primo porteño. Nos encontramos en el Augustus, al lado de La Biela. Después de la dictadura hacía falta renovar el humor chabacano de Olmedo & Porcel y meterse en el absurdo, área en la que Federico era un adelantado. Tomamos un café los tres. Con 18 años yo vestía mocasines, chomba y tenía un corte de pelo colimba, y aun así osé pedirle un autógrafo. Firmó una servilleta y escribió: "Planeta Tierra, vienen tiempos mejores". Hablaba como en la TV, en trance permanente. De pronto dijo: "Los voy a llevar al ojo del huracán". Subimos a un taxi, agarramos Pueyrredón y bajamos en el Café Einstein, que era una casa a la que se entraba por el garaje. Curioso imaginarse a Federico de traje y sobretodo entre velas chorreantes, tal vez Luca Prodan y un televisor que hacía lluvia.

DANIEL LEBER

La aspiración mística de Federico parecería ser asida finalmente por el mercado al exponerse, en galerías de arte y museos, objetos de memorabilia suyos que funcionan como las reliquias de un santo. Dedicatorias a amigos en el reverso de fotografías, videos grabados por sus afectos, cuadernos con frases o servilletas firmadas en un café son revalorizadas como obras de arte. Incluso la Fundación Espigas conserva fotos de su vida ociosa como documentos dignos de atesorar.

JUAN IBARGUREN DJ

Me vienen a la cabeza sus idas a Experiment –donde yo trabajaba como DJ– allá por 1979. Llegaba temprano y no le gustaba acostarse tarde. Se paraba al lado de la cabina y se quedaba un buen rato cerca. Me pedía un vaso de agua con hielo y miraba todo desde ahí. Cuando vivía con su familia en la calle Vicente López, él iba a un bolichito que quedaba sobre Ayacucho, a media cuadra de Las Heras, mano izquierda. Alguna que otra mañana otoñal nos cruzábamos caminando y de pronto me invitaba diciendo, con esa voz tan particular, tan modulada: "¿No querés venir a tomar un vermú conmigo?". Tenía esos gestos de

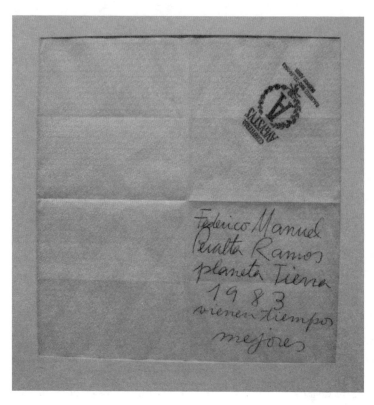

Servilleta de la confitería Augustus que Federico Manuel intervino en 1983 y le regaló a Gustavo Doliner.

campo, de cuando iba a General Madariaga. El lugar era un almacencito de mierda. Tenía dos sillas y por supuesto ahí él era Gardel.

PACHI FIRPO

En un momento era alcohólico de cerveza, una cosa rarísima. Y nunca andaba con plata encima: de pronto te pedía 10 pesos para comprar algo, ¡y te traía el vuelto! Estábamos todo el día juntos, como hermanos.

DIEGO PERALTA RAMOS

Lo único que no hizo fue fumar. Le encantaba el vino tinto –nada de whisky u otras cosas– cuando se lo servían en una copa alta, con "tensión superficial". Eso pasa cuando el vino llega al borde y el líquido genera un "lomito" en el medio. Es un concepto de la física que significa que las cosas se agarran entre sí.

EDGARDO GIMÉNEZ

Había elaborado una compleja teoría sobre el amor. Creía que las mujeres elegían a un hombre por una química corporal especial que solo actúa en la verdadera hembra. De modo que si uno quería lograr éxito con las mujeres debía saber tocar alguna tecla del sexo psicológico: algo que conseguían los hombres hipersensibles, pero, misteriosamente, no los turros ni los giles. Según su teoría, los más poderosos con las mujeres son los artistas y los hombres espirituales. Los turros castigan, quitan y no dan, y los giles tratan de llenar cualquier vacío con regalos, pero son los que tienen menos poder porque el sexo psíquico de una mujer no se sacia jamás. Federico afirmaba muy seriamente que quien intenta llenar el sexo psicológico de las mujeres siempre se muere, se hace pelota, revienta de una u otra manera.

COCO GONZÁLEZ DEL SOLAR *empresario*

Era un loco totaaaaaal. Federico estaba en un boliche y entró en el baño de mujeres. "¡Ohhhhh!": estaban todas pintándose frente al espejo y el tipo dijo: "Buenas, buenassss". Había una chica que lo conocía. Se le acercó y le preguntó qué hacía ahí, a qué había ido. Y él contestó: "Vine a hacer mis necesidades". Y ella insistió: "¿Y qué pensás hacer después del huevo gigante que hiciste?". Y él: "Voy… a… hacer… uno… mucho… más… grande". Y ella: "¿Para qué?". Y él: "Para tirarlo arriba de La Plata". Y se fue.

MARC CAELLAS

"El peligro es caer en la Copa Melba", declaraba Federico en una

189

entrevista. Y agregaba: "La Copa Melba son los valores falsos que corrompen la esencia fuerte del alma de la gente, las medallas en el pecho, las plumas, como los jarabes de frutilla y de frambuesa sobre un helado. Mi arte es anti-copa Melba. Ahora pienso hacer un huevo de plástico amarillo de 300 metros y lo voy a dejar flotando en el Atlántico Sur. Como un sol, como un gigantesco aparato de aire acondicionado para vivir alrededor de él, para que la gente de la Patagonia pueda vivir al aire libre, adorando la creación".

OSVALDO BAIGORRIA *escritor*
Una función o una performance de vanguardia en el Di Tella, años 60, tiempos de dictadura militar. De pronto se apagan las luces, irrumpe una linterna y se escucha el grito: "¡Policía Federal!". Desde la oscuridad otra voz, la de Peralta Ramos, les responde: "Jodansé por no estudiar". El tilde en la "é" de "jodansé" daría la entonación precisa. Creo haber escuchado la anécdota vía Guido Indij contando lo que le contó otra persona, así que puede haber varias versiones de la misma.

GUIDO INDIJ *editor y fotógrafo*
Cuando lo conocí yo era muy joven y él transitaba sus últimos años. Tuve la oportunidad de visitarlo en su departamento de la avenida Alvear y de retratarlo en más de una oportunidad. El recuerdo más pregnante fue el de nuestro primer encuentro. "Y vos, ¿cuántos años tenés?", me preguntó. "Diez", contesté. "¡Ah, pero es hora de que empieces a deseducarte!", me respondió.

CRISTINA CIVALE *periodista y crítica de arte*
Yo tenía 19 años y no sabía quién era cuando me lo crucé en 1979 en una fiesta variopinta y algo clandestina en plena dictadura. Recuerdo que yo estaba en el bar La Paz cuando alguien me invitó y desde ahí partimos con una amiga. En un momento un hombre algo gordo y muy carismático empieza de la nada a cantar a capela lo que, luego supe, era una de sus marcas registradas: "Soy un pedazo de

atmósfera". Él estaba sentado en el piso con las piernas cruzadas y los ojos cerrados, y cantaba solo hasta que se produjo un silencio y todos se pusieron a escucharlo. Luego abrió los ojos y la fiesta continuó fluidamente.

SERGIO AISENSTEIN
Era un loco, un loco grande. Idéntico a los monólogos que hacía en lo de Tato: así era él. Y en épocas jodidas, ¿eh? No le podían hacer nada porque parecía como fuera de la realidad.

JULIÁN MIZRAHI
Al Gordo le salía todo: su caligrafía no es de duda, sino intuitiva y natural, sin falsedades. Tuvo mucho ángel. Yo hago la mitad de lo que hizo él y me meten en cana en dos minutos.

RAÚL NAÓN
Hay falsos Federicos circulando. De hecho, yo tengo uno porque para mi colección es una pieza interesante. Algo similar pasa con Alberto Greco: hay poca obra dando vueltas y su caligrafía parece relativamente fácil de falsificar, hasta que lo ve un perito y se da cuenta. Me parece importante la fundación que está armando parte de la familia Peralta Ramos para establecer, entre otras cosas, un catálogo exhaustivo y razonado de la obra de Federico, en quien es clave la *provenance* de sus trabajos.

MARIO SALCEDO
Al viejo, que era EL arquitecto de Buenos Aires y me pagaba lo que consumía su hijo, le cerré los ojos en el Diagnóstico, donde también estaba internada mi mujer. Me decía: "Cuidameló al Gordo". Lo entendía totalmente: "Federico hizo todo lo que yo no pude hacer". Un día les dije a los Peralta Ramos: "A ustedes no los mataron los Montoneros por el Gordo, oligarcas boludos".

MARINA BLAQUIER DE ZUBERBÜHLER

Me parece que el conflicto lo tuvo con su padre. Si bien fue el que menos lo entendió, a su vez hay que comprenderlo al padre, una persona estructuradísima que dirigía un estudio de gran prestigio: le costaba digerir las locuras de su hijo mayor.

ZELMIRA PERALTA RAMOS

Me decía: "¡¿Cómo no nací cuarenta años más tarde!? Nadie me entiende". Y ahora todos lo entienden: era un adelantado. Bueno, tampoco lo entienden todos porque el huevo que le hicieron en la plaza San Martín NO ES, no está encerrado. La obra es la enormidad de ese huevo encerrado en cuatro paredes.

MARINA BLAQUIER DE ZUBERBÜHLER

Cuentan que un día Federico fue a verlo a su padre al escritorio de SEPRA porque quería hablarle sin tapujos, con el alma desnuda. Entonces se calzó un sobretodo, pero debajo no tenía ropa. Era muy muy creativo y muy muy imaginativo. Con la madre, Chiquita Balcarce, y con sus hermanas, tuvo una relación más fácil: ellas lo entendían, se reían de él y con él.

GABRIEL LEVINAS

Esto lo contaba él, lo que es todo un delirio: su madre va a Harrods y le pide al vendedor un impermeable London Fog de talle grande para su hijo. Vuelve el tipo con el impermeable y ella dice: "Va a ser chico". El vendedor se lo lleva y trae otro. Ella lo mira e insiste: "No, este también es chico". El vendedor aparece con otro más grande todavía, ante lo cual la madre dice: "Para mí, sigue siendo chico". El tipo le contesta: "Señora, su hijo no necesita un impermeable, sino más amor". Lo loco es que ella se lo cuenta a Federico... ¿Cómo le contás a tu hijo que un empleado de Harrods te dijo que tenés que quererlo más?

JORGE DE LUJÁN GUTIÉRREZ

Mediodía lluvioso, Florida Garden, Federico sentado en una mesa de la entrada con impermeable y la mirada, como dicen ahora, sin dueño. Yo estaba con Sergio Renán y Luis Pazos. Alguien manda a un mozo a preguntarle qué le pasa y este vuelve con la respuesta: "Dice que la capa de goma lo vuelve indescifrable".

CARLOS ÁLVAREZ INSÚA

El loden era una de sus piezas. El típico: austriaco, verde, con los agujeros para la transpiración debajo de las axilas. Le encantaba mostrar esos agujeros, la extraordinaria calidad vienesa del abrigo. A la vez que era una catarata de transgresión respecto de sus seres pasados, también representaba la continuidad pesada de sus hábitos y costumbres: una operación magistral y tierna, lo que lo hace raro en Argentina.

GUILLERMO CABANELLAS

En Argentina existía una fuerte tradición de escritura en la abogacía. Federico me preguntó por qué escribía. Le contesté que por tradición, que mi viejo era profesor en la facultad. "Me educaron para eso", le dije, y él respondió: "A mí me educaron para ser boludo". Gran parte de su personalidad implicaba rebelarse contra esa tradición.

GUILLERMO FERNANDO AQUINO

Una noche fuimos juntos a la inauguración de una muestra en la galería Carmen Waugh. Federico vestía impecable, casi de comunión con su traje nuevo. El padre le regalaba uno por año, siempre azul y cruzado, hecho por un sastre. Entramos muy mansos, sin buscar roña, y estaba el crítico Jorge Feinsilber dándoles cátedra a tres señoras que lo escuchaban atentas. Dimos un paso y Feinsilber se dio vuelta y le dijo, irónico, a Federico: "¡Qué elegante!". Y el Gordo, con su característico vozarrón, contestó: "¿Viste? Me puse el disfraz de boludo".

PEDRO ROTH

Con Raúl Ricutti, que también trabajaba en lo de Tato, hicieron una performance en la *boîte* Áfrika, debajo del Alvear. Vestidos de frac y bailando como Fred Astaire cantaron "Esta tarde vi llover": tiraron tres mil pelotitas de ping-pong que simulaban la lluvia. No recuerdo si eso fue antes o después de la cena que Federico dio con parte del dinero de la beca Guggenheim, que ganó en 1968 con el proyecto de lanzar al mar un inflable gigante que desparramaría buena voluntad por el mundo. Clorindo Testa y Samuel Paz lo ayudaron a presentarse. No le hizo falta concretar la idea: con enunciarla, ya la había hecho. Entonces organizó una comida en el hotel para veinticinco amigos. Yo estaba invitado, pero no fui porque me encontraba en el extranjero. Después mandó la lista de rendición de gastos y logró que la fundación cambiara sus leyes a partir de eso.

ENRIQUE SCHEINSOHN

Con parte del dinero de la beca, que se le otorgó como pintor, Federico compró tres cuadros: un Robirosa, un De la Vega y un Deira. Yo tuve el Deira y después lo vendí en un remate del Sívori. Se llamaba *Drut* y no sé qué quiere decir: es una figura de perfil, como de ciencia ficción, y en un punto sigue formando parte de la acción que realizó Federico con la beca. ¿Quién tendrá los otros dos?

JUAN JOSÉ CAMBRE

En el 82 yo vivía en Nueva York y me quería presentar a la beca Guggenheim. Para eso necesitaba juntar firmas. Una fue de Liliana Porter, quien además me dio la dirección de Marcelo Bonevardi, un artista argentino que vivía en Connecticut. Fui a verlo. Le conté que tenía la firma de Liliana y que daba por sentado que tendría la de Federico. Entonces, me aseguró que si quería perder la beca, me presentara con el apoyo de Peralta Ramos.

GUILLERMO FERNANDO AQUINO

Ganó la beca Guggenheim por el cuadro de Boca. Le decían así porque era un mazacote de pintura espesa con los colores de la camiseta boquense: azul, amarillo y azul, con grandes apelotonamientos como de plastilina. Estaba colgado en el palier de la casa de sus padres en la calle Vicente López y era muy potente. Según decía él, esa fue la obra que le hizo ganar la beca.

CHARLY BRAUN *cineasta*

Hay una frase suya que lo explica casi todo: "Lo que yo hice siempre en Argentina fue abrir las ventanas para que entre un poco de aire fresco. Ahora el aire fresco ha invadido el país y todo el mundo tiene ganas de hacer más cosas o de manifestarse, se acabó el miedo al papelón. Durante mucho tiempo una forma de argentinizar una idea era no concretarla, pero ahora eso se terminó, ya nadie quiere postergar sus sueños".

DIEGO PERALTA RAMOS

La comida del Alvear fue una comparsa grande de veinticinco personas en la que estaban todos los partidos: Marta Minujín, Finita Ayerza y Federico González Frías, Pier Cantamessa, Yuyo Noé y su mujer, Juliano Borobio, el cajero de La Biela, Lalo Palacios, Carlos Miguens, la gorda Peti (una "prosti" que había por ahí), Santiago Sánchez Elía, Pachi Firpo, Alfredo Agostini, el diariero Elías, el florista de la esquina, Clorindo Testa, mi mujer Zelmira y yo. Al salón se entraba por Ayacucho, cerca de donde hoy se entra a lo que durante años fue el restaurante La Bourgogne. La mesa era una L y Federico se sentó en una punta. Él se ocupó de presupuestar la comida y de invitar a la gente. Había mozos y seguro se sirvieron papas fritas y milanesas. O bife. ¡Del infinito al bife! Todo fue muy austero y ciudadano.

MARTA MINUJÍN

Yo no fui a la comida porque estaba en Nueva York.

FERNANDO DEMARÍA

Sé que por su obra artística mereció la beca Guggenheim, que destinó a un almuerzo multitudinario que se convirtió en un *reality show*.

PEDRO ROTH

En la muestra colectiva *El arte en la gastronomía* que hicimos en el Plaza Hotel a beneficio de la Asociación de Amigos del Museo de Bellas Artes, junto a artistas como Marta Minujín, Remo Bianchedi, Clorindo Testa o Quique Barilari, Federico inventó un bife de chorizo gigante con la forma de la República Argentina.

ZELMIRA VON DER HEYDE DE PERALTA RAMOS

La comida del Alvear fue riquísima. La mesa era una U, todo muy bien puesto. Él, de smoking: tenía fijación con el smoking. Cuando terminamos, dijo: "En agradecimiento les voy a cantar la canción 'Lamento esquimal'". Y empezó "uuuhhhh, oooooohhhhhh, uuuuhhhhh". Estuvo más o menos diez minutos haciendo ruidos onomatopéyicos, ¡y cómo lo aplaudieron! Los mozos estaban desorbitados.

FINITA AYERZA

A la comida fui toda engalanada. ¡Nosotros éramos muy amigos! Fui con mi marido. ¿O todavía sería mi novio? No recuerdo. "Qué horror", pensaba yo, "si viene alguien de la Fundación Guggenheim, le reclama la plata y le hace un juicio". Comida paquetísima con mozos, champagne y vino que volaba por los cielos. Estaban Noé, Macció, De la Vega, Kemble… Federico tenía una especie de puta a la que ponía siempre de mujer, aunque no sé si estaba aquella noche. Yo siempre la veía. Era rubia. Me parece que él dijo unas palabras o puede que haya cantado.

YUYO NOÉ *artista*

A pesar de que tengo 86 años, esta anécdota la recuerdo muy bien. Yo caminaba por la calle Florida. Habrá sido a principios de los 70, en primavera. Iba a las oficinas del Vapor de la Carrera para sacar un boleto a Montevideo porque mi madre se tenía que operar de cataratas con un cirujano que le habían recomendado. En aquella época no es como ahora, que se opera más fácil; a ella le dolía el ojo y sufría mucho. Nos encontramos con Federico y cuando le cuento lo que voy a hacer, él me dice: "Te acompaño". Yo entendí que me acompañaba a sacar el boleto, pero al momento de sacarlo veo que él hace lo mismo, así que viajamos juntos. Pasamos toda la noche conversando y delirando. No dormimos nada. Cuando llegamos, se instaló en la sala de espera del sanatorio y me esperó ahí. También estaba mi padre, que bajó a saludarlo. Fue sorprendente su decisión. Al final, nos quedamos un día y volvimos juntos. Era lindísimo el Vapor, el viaje duraba como ocho horas. Es de esas cosas con mucha gracia que se han ido perdiendo.

CHARLIE SQUIRRU *artista*

Una vez me dijo, como síntesis de lo que estábamos hablando: "Queremos un país con huevos, ¡no con papas fritas!".

DARÍO TRANE *astrólogo*
Calculé su carta natal con la fecha de nacimiento y ajusté el horario en el que nació con el péndulo: era de Acuario. Humanistas y de ideas, los acuarianos se rebelan ante la autoridad. Son originales y creativos, pero de una manera exótica. Rechazan a su familia porque para ellos el clan son sus amigos. Se expresan a través de lo grupal o lo colectivo. Van contra la corriente porque lo peor sería pertenecer al común de la gente. De presencia extravagante, nunca pasan desapercibidos. Los otros los perciben como locos o camino a la locura. Peralta Ramos tenía también el ascendente en Acuario, lo que tal vez le dio una vida inestable a nivel profesional. Cuando llega a la cima de una disciplina, Acuario en ascendente se desapega y busca otra cosa para no aburrirse: por eso viven muchas vidas en una. Acuario son los talones, de modo que suelen vivir en el aire y sus proyectos precisan de otros para que

puedan materializarse. Cuando consiguen estabilidad, la pierden por algún suceso extraño, ajeno y externo que, en realidad, fue disparado por su propia energía interna.

BEATRIZ CHOMNALEZ
Federico permanece.

DANIEL LEBER
Carl Jung, en sus investigaciones en torno a la psicología y la alquimia, muestra cómo las operaciones materiales que los alquimistas llevaban a cabo simbolizaban los procesos psicológicos que el ser humano atraviesa para restablecer su unidad. A los 32 años Federico declara literalmente, al justificar su aparente despilfarro de la beca Guggenheim, su propia vida como una obra de arte, y a la aventura del artista como la "constitución" del yo a través del desarrollo de la personalidad. Es así que me lo figuro como una suerte de psicoalquimista junguiano que se toma a sí como espacio potencial en el cual hornear su "coso" y buscar "estar presente". Esta obsesión por autodefinirse frente a los demás, sea en joda o no, se convierte en un compromiso desmedido y oscilante del estar-presente, del estar-desalienándose. El huevo del Di Tella, que él mismo terminó de destruir y que al tiempo definió como "la abstracción de una pareja en el cosmos y representa a la mujer", puede asociarse con el huevo-crisol en el cual se producen los procesos químico-espirituales y con las cosmogonías que tienen al huevo cósmico primordial por símbolo de unidad. Destruido por Federico, el símbolo se transforma en el acto creativo cósmico por excelencia – como lo es el arte mismo– en el cual él se convierte en esa fuerza *yang* que revienta el huevo *yin* y da lugar a todas las cosas y sus posibilidades una y otra vez. En *Demian*, Herman Hesse escribe: "El pájaro rompe el cascarón. El huevo es el mundo. El que quiere nacer tiene que romper un mundo. El pájaro vuela hacia Dios. El Dios es Abraxas". Federico, a fin de cuentas, se la pasó rompiendo el huevo.

DARÍO TRANE
Son alquimistas, futuristas y tienen razón antes de tiempo. Aman lo kitsch y la astrología. Se dice que ven los símbolos de la matriz con que está estructurado el cosmos. De ahí que hay teorías sobre que son extraterrestres que conducen a los demás para que encuentren el sentido de la vida. El acuariano está adelantado pues vive en el futuro, así que no suele ser reconocido en la época que vive.

DANIEL LEBER
La implosión de la información en los 60, fogueada por los medios de comunicación masivos en constante crecimiento, creó redes que conectaron a jóvenes alrededor de todo el mundo con ganas de revolucionar y evolucionar. Peralta Ramos mismo parece expresar estas ideas al declarar: "Hay un poeta amigo mío, Rafael Ezquirru [*sic*], que tiene una frase que dice 'Cisnes del Mundo Uníos', porque, ¿qué es ser cisne? Ser cisne es ser psicodiferente, es estar para la era de Acuario, para la era cósmica. Los patitos feos son los cisnes que se preparan para reinar en el mundo. Los cisnes van a hacer un movimiento final que se llama Locura de Amor, porque los cisnes son la gente que tiene amor. El mundo de los cisnes es como una fraternidad universal, la era que nace va a ser de amor global".

SANTIAGO VILLANUEVA
En Peralta Ramos el proyecto es entender el mundo, transformar los lugares. Sin formularlo ni escribirlo, el arte de los medios lo pensaron Escari, Jacoby y Costa, pero lo realizó Peralta Ramos. En ese sentido, es un precursor que se emparenta con Klemm: ambos metieron en una licuadora el pop y el conceptualismo, que eran corrientes opuestas. Se trata de espíritus muy anarquistas para el mercado del arte. Klemm y Peralta Ramos son formadores que no piensan en la idea de formación, docentes que no dan clases, artistas de artistas. El mercado no los quiere o no los entiende porque son muy locales y manejan códigos muy locales.

ZELMIRA VON DER HEYDE DE PERALTA RAMOS

Mis hijos tenían pasión por él. Los venía a buscar y las cosas que les decía. Era muy cercano. A veces no le dábamos bola. Era el tío loco, pero siempre con buena onda. Sus mandamientos son increíbles. Él compraba telas y escribía. La genialidad era él como persona, no la pintura. Cuando murieron los padres fue un espanto lo que sufrió.

MARTA MINUJÍN

Para mí es difícil volver al pasado porque estoy en otra velocidad, ¡en mi planeta! Aunque en sus últimos años no me quería nada e inclusive me criticaba, fue terrible que Federico muriera.

ZELMIRA VON DER HEYDE DE PERALTA RAMOS

Era un incomprendido. No conozco ni una persona que no lo quisiese. Tenía millones de amigos. Desde Carlos Miguens al mendigo de la esquina de La Biela… lo conocían hasta las piedras del campo y todo caminando, todo por caminar. Muchas veces recuerdo lo que decía y pienso que era un avanzado, que veía más allá. En su última exposición no había nada: las paredes estaban impecablemente pintadas de blanco y cuando llegamos nos dijo: "La exposición son ustedes". Rafael Squirru hizo la presentación y habló durante media hora. Yo pensaba: "¿De qué habla, si no hay nada?".

JAVIERA NAVARRO

Una vez leí que dijo algo así como que las exposiciones no servían y que el arte no había muerto, pero sí la contemplación, y que había descubierto el arte fundamental de caminar por la calle.

GUILLERMO FERNANDO AQUINO

Decía: "Quisiera que en mi lápida pusieran: 'Era un todo corazón'".

EDGARDO GIMÉNEZ

A veces sentía que no valía nada y entonces, con total comodidad, se dedicaba íntegramente a no valer nada; verse como un personaje de utilería le parecía un descanso.

LORETO ARENAS

Yo era amiga de Antonio López Lamadrid, editor de Tusquets. Había venido a Buenos Aires por la Feria del Libro y recuerdo que lo fui a buscar al Hotel Alvear. A la salida nos encontramos con Federico, que lo miró de arriba abajo y le dijo: "Vas a salir con Loreto... no te fijes en sus posesiones, no te fijes en su cuerpo, ¡dale tu corazón!". Toni –que era catalán y Conde de Güell– se quedó quieto, de una pieza, como diciendo: "¿Y ahora qué hago?".

EDGARDO GIMÉNEZ

Sin embargo, siempre agradecía haber nacido y había programado su epitafio, que debía decir: "Federico Manuel Peralta Ramos, un todo corazón". Es una luz: Federico sigue presente.

ZELMIRA VON DER HEYDE DE PERALTA RAMOS

Si existe que Fede esté mirando desde algún lugar las cosas que pasan, yo creo que estaría feliz. Él quería que alguien lo tuviera en cuenta ¡y lo logró! Estoy segura de que diría: "Están hablando de mí". No se tenía mucha fe, pero tampoco le importaba mucho.

DIEGO PERALTA RAMOS

Es infinito.

Fotografía tomada por Guido Indij a fines de los 80.

SATÉLITES

MANDAMIENTOS DE LA RELIGIÓN GÁNICA

Habitantes del planeta, yo, Federico Manuel Peralta Ramos, me dirijo a ustedes para comunicarles los mandamientos de una nueva religión que he inventado:

1) Ser gánico (*).
2) Hay que irse a los bofes.
3) A Dios hay que dejarlo tranquilo.
4) Perder tiempo.
5) No perder tiempo.
6) Regalar dinero.
7) No distraerse.
8) Ampliar la esencia hasta llegar al halo.
9) Vivir poéticamente.
10) Hacer programas aburridísimos.
11) Tratar de divertirse todo el tiempo.
12) Creer en el gran despelote universal, tomar como punto de referencia eso.

13) No endiosar nada.

14) Superar lo controlable.

15) Superar el plano físico.

16) Jugar con todo.

17) Darse cuenta.

18) Creer en un mundo invisible, más allá del plano físico, más allá de los lejos y de los cercas.

19) Hay que andar liviano en este mundo, o no.

20) Provocar movimiento.

21) Despreciar todo.

22) No mandar.

23) Flotar.

Clavar esto con una chinche en la pared.

Si no tienen ganas, no cumplan con ninguno de estos mandamientos.

(*) Ser gánico significa hacer siempre lo que uno tiene ganas.

CRONOLOGÍA DE FEDERICO MANUEL PERALTA RAMOS

1914
El 3 de marzo nace su padre Federico Peralta Ramos Grondona en Buenos Aires; el 13 de octubre nace su madre Adela González Balcarce Bengolea en Buenos Aires.

1935
Se casan sus padres.

1939
El 29 de enero nace Federico Manuel Peralta Ramos en la ciudad balnearia de Mar del Plata, fundada por su tatarabuelo Patricio Peralta Ramos.

1940
El 29 de marzo nacen sus hermanas mellizas María y Josefina.

1941
El 5 de septiembre nace su hermano Diego.

1944
El 9 de abril nace su hermana Rosario.

1949
El 14 de octubre nace Sebastián, el menor de los seis hermanos.

En algún momento de su infancia-adolescencia suceden dos hechos simbólicos: su bisabuela le regala una caja de acuarelas –"yo pintaba a los tres años", declara en una entrevista– y se da un terrible golpe en la cabeza al caer de un árbol.

Cursa estudios primarios en el Colegio Nacional Sarmiento y secundarios en el Colegio Cardenal Newman. Gran jinete, juega al polo y doma caballos en General Madariaga, el campo de su abuelo paterno en la provincia de Buenos Aires.

1957
Ingresa a la Universidad de Buenos Aires para estudiar Arquitectura (quedándole diez, siete o cuatro materias para recibirse –la cifra varía según el interlocutor–, abandona la carrera).

1960
Realiza, en la galería Rubbers, *Peralta Ramos*, su primera muestra individual de pintura. Las siguientes cuatro exposiciones llevan el mismo título y en cada catálogo incluye un currículum que suele rematar con una frase inesperada: "Anhela un mundo mejor" o "Además soy muy simpático", entre otras. Su formación como artista es autodidacta: jamás asiste a un taller.

1961

Viaja a Perú –conoce Lima, Cuzco y Machu Picchu– con Pachi Firpo, amigo y compañero de la universidad.

Trabaja en SEPRA, el mítico estudio de arquitectura fundado en 1936 por su padre junto con Santiago Sánchez Elía y Alfredo Agostini. Entre 1961 y 1964 lleva a cabo dos viajes: uno a Ushuaia con su novia Sarita Seré y otro a Brasil, solo, moviéndose a pie, en barco y a dedo.

1964

Realiza una muestra en la galería Witcomb y con un serrucho corta a la mitad uno de los pesados cuadros que va a exponer porque no pasa por la puerta.

Trabaja en la cosecha de trigo en un campo en Chillar, provincia de Buenos Aires.

1965

Es invitado por el Departamento de Estado para viajar a Estados Unidos con Rogelio Polesello, Pablo Suárez, Ary Brizzi y Víctor Magariños. Recorren las principales ciudades del país durante un mes y medio y al volver, el Museo Nacional de Bellas Artes organiza la muestra *Cinco jóvenes pintores argentinos*. Después del periplo y convencido de que "a mí me gusta acá" y de que "quien se va de Buenos Aires, se atrasa", deja prácticamente de viajar al exterior.

Difícil de situar en una fecha exacta, empieza y se fortalece su insistente circulación a pie por bares –de día– y por *boîtes* –de noche– a los que define como "templos paganos" y en donde realiza continuas intervenciones espontáneas.

Participa del Premio Nacional del Instituto Di Tella con *Nosotros afuera*, una escultura de un huevo gigante hecho de yeso y madera que fabrican los yeseros del estudio del padre y que se descascara la noche de la inauguración ante el estupor del público y de él mismo, que lo termina de romper con un pico porque no hay forma de sacarlo de la sala.

1966

En un remate de la Sociedad Rural Argentina compra un toro reservado gran campeón de raza charoláis color blanco para exponerlo en una muestra, pero la compra es anulada porque no tiene fondos para pagarlo (inmediatamente después se interna en una clínica privada en la que organiza el Festival del Mate Cocido junto con otros pacientes).

Empieza a tratarse con Jaime Rojas-Bermúdez, psiquiatra fundador del psicodrama en Argentina, quien lo blinda con el diagnóstico de "psicodiferente" y lo medica con Haloperidol.

1968

Con el apoyo de Clorindo Testa se presenta a la Beca Guggenheim. La gana como pintor. Decide no cumplirla en Nueva York y pide que le giren el dinero a Buenos Aires. Con los 6.000 dólares desarrolla una serie de acciones performáticas: compra tres cuadros (un Jorge De La Vega, un Ernesto Deira y un Josefina Robirosa), se manda a hacer tres trajes, da un banquete para veinticinco amigos en el Hotel Alvear y lo llama *La última cena*, paga la deuda de una exposición realizada en la galería Arte Nuevo, invierte parte del dinero en una financiera a interés mensual, graba el single *Soy un pedazo de atmósfera* junto con Francis Smith para el sello Columbia y, por último, le escribe una mítica carta al director de la Fundación Guggenheim explicando el detalle de los gastos (se dice que la epístola, de 1971, está colgada en la sede de la institución en Nueva York, y desde entonces nunca más se les pidió rendición de cuentas a los artistas becados). Las acciones realizadas con el premio son el puntapié de una obra que vira —mediante diversas formas, desde poemas o aforismos sueltos hasta canciones en bares o actuaciones en la televisión— al conceptualismo y que tiene al artista como su obra de arte.

Redacta y distribuye, en la puerta del Florida Garden –uno de los bares que más visita–, los veintitrés mandamientos de la Religión Gánica, que consiste en hacer siempre lo que uno tiene ganas.

1969
Forma parte de *Siempre en domingo*, el programa de Tato Bores en Canal 11.

Participa cantando en una de las sesiones organizadas por el disc jockey Edgardo Suárez en el teatro Payró, donde además expone un círculo de viruta del que cada espectador puede llevarse un pedacito.

Actúa en la película *Tiro de gracia*, de Ricardo Becher.

1971
Trabaja en el cabaret Can Can haciendo arte vivo.

Realiza, en la galería Arte Nuevo, la muestra *Cuidado con la pintura*, en la cual queda en evidencia su interés por el uso de la escritura con una caligrafía detectable a cien metros de distancia.

1972
Realiza, en el CAyC (Centro de Arte y Comunicación), la muestra *El objeto es el sujeto*, en la que termina de convertir a su persona en obra de arte exponiéndose a sí mismo.

1973
Participa de *Dígale sí a Tato*, el programa de Tato Bores en Canal 13.

1974
Exhibe en la galería Arte Nuevo un buzón con el objetivo de venderlo –cosa que logra: lo compra la vedette Egle Martin– y encarnar aquel célebre dicho porteño: "Vender un buzón".

1975

Se propone convertir el Florida Garden en El Templo de la Ternura.

1976

Antonio Berni lo invita a participar de la muestra *Creencias y supersticiones de siempre* en la galería Carmen Waugh, en la que "planta" en un cuarto al bombero y etólogo Ithacar Jalí que, disfrazado de momia, se levanta de un sarcófago y contesta a las preguntas del público.

1978

Empieza un régimen para adelgazar que se enmarca también dentro del arte vivo y que denomina, junto con su amigo Enrique Barilari, *Adelgaz-arte*.

1980

Presenta "algunas de sus conversaciones" en el Café Merlyn.

1981

Presenta una muestra de dibujos en la galería ArteMúltiple y la noche de la inauguración refunda la ciudad de Mar del Plata con el nombre de Mal de Plata.

1982

Entre diciembre de 1982 y abril de 1983 escribe una columna semanal en la revista *La Semana*, dirigida por Jorge Fontevecchia.

Entre 1982 y 1984 se desempeña haciendo monólogos esporádicos en el Café Einstein.

1983

Participa de *Extra Tato*, el programa de Tato Bores en Canal 13.

1984
Presenta su obra *Reserva para el futuro* en La Capilla.

1985
Participa del show *Noche de estrella*, de Carlos Perciavalle, en el Club del Lago (Uruguay).

Participa del programa *Noche de brujas*, conducido por Alicia Barrios en Canal 7.

Dicta una conferencia en el Museo Nacional de Bellas Artes.

1986
Realiza, en el Centro Cultural Recoleta, *La salita del Gordo*, una exposición que anticipa las acciones de la performer serbia Marina Abramović y en la que recibe al público en una especie de sala de espera, para conversar y tomar mate.

213

Actúa en la película *El hombre que ganó la razón*, de Alejandro Agresti.

1987
Se "divorcia" de su íntima amiga Marta Minujín.

Actúa en la película *El amor es una mujer gorda*, de Alejandro Agresti.

1988
Se desempeña haciendo monólogos esporádicos en Nave Jungla.

1989
Realiza, en la galería Altos de Sarmiento, *Federico Manuel Peralta Ramos*, su última exposición individual y en cuya sala no hay absolutamente nada expuesto.

1990

El 25 de mayo le sugiere a Charly García, en el bar Open Plaza, que toque el himno nacional en el piano del lugar. El músico le hace caso y esa misma noche graba una versión rockera que forma parte del disco *Filosofía barata y zapatos de goma*.

1991

Participa como invitado en *La última pituca*, un espectáculo de Laura Rivero y Alberto Favero en el Café Mozart.
El 2 de febrero muere su madre en Buenos Aires.
El 2 de mayo muere su padre en Buenos Aires.

1992

Participa de *Tato de América*, el programa de Tato Bores en Canal 13. En junio, durante una de las grabaciones, sufre un cuadro de hipertensión y es internado en el CEMIC.

El 30 de agosto muere de un infarto en Buenos Aires.

1993

Se realiza *A Federico Manuel. Muestra Homenaje*, en el Museo Sívori.

2003

Se realiza *Federico Manuel Peralta Ramos. Retrospectiva*, en el MAMBA.

2017

Se realiza *Serás lo que te tocó ser y dejate de joder. Federico Manuel Peralta Ramos*, en la galería Del Infinito.

2018

La galería Del Infinito presenta un Solo Project del artista en la feria ARCOmadrid.

LISTADO DE ENTREVISTADOS

Ana Mujica Lainez 20
Raúl Naón 64, 88, 146, 152, 191
Javiera Navarro 50, 200
Carol Navarro Ocampo 108
Dolores Navarro Ocampo 178
Susana Navarro Ocampo 157
Yuyo Noé 196
Cristina Oliveira Cézar 125
Boy Olmi 115
Andrés Oppenheimer 50
Cristina Padilla de Peralta Ramos 26
Isabel Palacios 122, 165
Aldo Paparella 39
Luis Pazos 29, 100
Malele Penchansky 160
Alejandro Peralta Ramos 109
Ana Peralta Ramos 104, 151
Blas Peralta Ramos 35, 67, 147, 154
Diego Peralta Ramos 23, 24, 25, 107, 112, 189, 195, 201
Juana Peralta Ramos 85, 147
Milagro Peralta Ramos 88, 110
Rosario Peralta Ramos 17
Sebastián Peralta Ramos 21, 22, 23, 26, 33, 36, 39, 66, 73, 84, 85, 86,
      101, 108, 114, 131, 137, 150, 165, 169
Zelmira Peralta Ramos 19, 87, 88, 192
Tiziana Pierri 83
Alfredo Prior 58
Fernando Pugliese 71, 81, 82, 122
Dalila Puzzovio 79, 80
Rodolfo Rabanal 53
Renato Rita 30, 100, 138, 146
Laura Rivero 43, 46, 77, 113
Patricia Rizzo 131, 138, 162, 183

ÍNDICE

Esta edición
se terminó de imprimir y encuadernar
en julio de 2019
en Galt Printing
Ciudad de Buenos Aires,
Argentina.